UMA HISTÓRIA
DO AMOR...
COM FINAL FELIZ

Dados Internacionais de Catalogação na Publicação (CIP)
(Câmara Brasileira do Livro, SP, Brasil)

Gikovate, Flávio, 1943-.
Uma história do amor... Com final feliz /
Flávio Gikovate. - São Paulo : MG Editores, 2008.

ISBN 978-85-7255-056-7

1. Amor 2. Individualidade 3. Psicologia aplicada I. Título.

07-10550 CDD-158

Índice para catálogo sistemático:

1. Amor : Psicologia aplicada 158

UMA HISTÓRIA DO AMOR... COM FINAL FELIZ

Flávio Gikovate

MG EDITORES

Editora executiva: **Soraia Bini Cury**
Assistentes editoriais: **Bibiana Leme e Martha Lopes**
Capa: **Alberto Mateus**
Projeto gráfico e diagramação: **Crayon Editorial**

MG Editores
Departamento editorial:
Rua Itapicuru, 613 – 7º andar
05006-000 – São Paulo – SP
Fone: (11) 3872-3322
Fax: (11) 3872-7476
http://www.mgeditores.com.br
e-mail: mg@mgeditores.com.br

Atendimento ao consumidor:
Summus Editorial
Fone: (11) 3865-9890

Vendas por atacado:
Fone: (11) 3873-8638
Fax: (11) 3873-7085
e-mail: vendas@summus.com.br

Impresso no Brasil

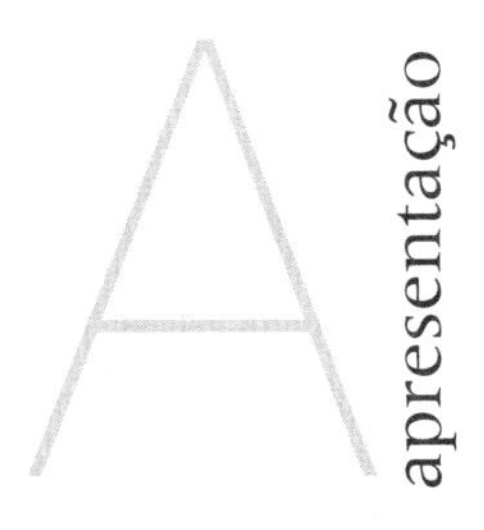

apresentação

Este livro conta a história do amor como tem sido vivida por aqueles que, da mesma maneira que eu, tiveram de agir como desbravadores. O amor sempre foi tratado como algo a ser deixado por conta dos artistas. Não deveria estar submetido ao bisturi afiado das ciências da alma. Insurgi-me contra isso e acredito que ao longo de quatro décadas de trabalho — e vivências pessoais — consegui avançar muito.

Meu objetivo é bastante claro: ajudar as pessoas a transitarem melhor nesse domínio que tem sido fonte de enormes sofrimentos. Acredito piamente no poder do conhecimento, no fato de que levantarmos boas hipóteses e nos orientarmos por elas ajudará muito para que avancemos com mais segurança e menos dor. Devemos tentar evoluir sempre, qualquer que seja nossa idade. É claro que os jovens deverão se beneficiar mais da leitura deste livro, pois poderão evitar vários dos contratempos que temos enfrentado. Poderão percorrer em meses — ou poucos anos — um trajeto que antes exigia, quando muito bem-sucedido, mais de uma década para ser vencido.

O livro faz uma proposta surpreendente acerca da questão do amor e lança as bases para que os relacionamentos íntimos respeitem, de verdade, nossos crescentes anseios individuais. Quase sempre um novo saber não está em concordância com sentimentos tradicionais. A evolução consiste em conseguir, partindo de boas idéias, recuperar a harmonia interior. A tarefa é penosa, mas acredito que o esforço seja plenamente recompensado.

Conhecer todas as sutilezas que acompanham o fenômeno amoroso é uma aventura fascinante. Porém, precisa ser útil, estar a serviço do aprimoramento individual e de avanços efetivos na direção da felicidade. Aqui você encontrará boas respostas para muitas de suas inquietações. Isso deverá gerar o otimismo daqueles que, mesmo cientes da dimensão real da dificuldade a ser ultrapassada, conseguem vislumbrar a recompensa no fim da estrada.

Uma história do amor... com final feliz

1 um

Era uma vez uma célula que derivou da fusão de duas outras. Em seguida, o processo se inverteu e ela começou a se dividir. Ao fim de poucas semanas, já eram milhões. Então elas começaram a se diferenciar, cada grupo seguindo um roteiro: algumas deram origem aos membros; outras, ao corpo; aconteceu o mesmo com os diversos órgãos. Um punhado de células se dividiu de forma peculiar e gerou os neurônios, que se associaram para formar o sistema nervoso, cuja parte central se alojou dentro do crânio.

Em mais algumas semanas, esse organismo começou a funcionar em caráter precário (mas muito interessante): sem respirar, alimentando-se pelo sangue que lhe chegava por um cordão ligado à mãe, eliminando detritos em um líquido no qual estava imerso e que se purificava automaticamente. De repente, começou a se mover de forma perceptível pelo hospedeiro (a mãe). Das histórias que ouvi, esse parece ser o momento da plena consciência de que ela carregava em seu ventre um ser vivo.

Nossa história se inicia dessa forma, assim como a história do amor. Nós não existíamos e, em algum momento dessa estada intra-uterina, passamos a existir. Não éramos e passamos a ser! Os processos que determinam tal passagem são em parte conhecidos e em parte desconhecidos e misteriosos. Ainda não se sabe se um dia vamos conhecer todas as nuanças aí envolvidas. Os cientistas acham que sim. Pessoas que têm uma visão mais religiosa, que não. Não sei me posicionar e felizmente não preciso fazê-lo.

Alegro-me por não ter de opinar a respeito do preciso momento em que o "não ser" se torna um "ser", já que a partir desse momento qualquer ato contra ele deveria ser tratado como homicídio. Uns acreditam que isso acontece no primeiro dia, enquanto outros pensam que a passagem se dá quando o feto está mais bem formado (no fim do terceiro mês de gestação); outros, ainda, pensam que o "ser" se define no momento em que a consciência passa a existir.

Tenho a firme convicção de que o cérebro, inicialmente desprovido de informações, registra de forma categórica os últimos tempos da vida uterina. O registro é positivo, mais voltado para a sensação de harmonia (ainda que possa haver algum tipo de desconforto, especialmente nas últimas semanas dessa "simbiose" também muito agradável para a grande maioria das mães). **Esse registro harmônico, penso, é o responsável pela idéia bíblica (Gênesis) de que a vida começa no paraíso: um lugar calmo, onde não acontece nada de muito especial, a comida é farta, vive-se sem pensar e o máximo a fazer é se espreguiçar.**

Quanto mais penso nisso mais perplexo fico ao tentar entender o caminho percorrido por quem conseguiu ter esse tipo de introspecção. O mesmo acontece na fala de

Aristófanes em "O banquete", de Platão[1]. Ele diz que, originalmente, éramos duplos e constituídos por quatro braços, quatro pernas, dois troncos e duas cabeças. A tomografia de uma mulher nos últimos tempos da gestação seria a confirmação de que o "animal duplo" existe e está ali. Parece que, pela via da imaginação, criaturas excepcionais (ou inspiradas) foram capazes de captar os primeiros registros do cérebro ainda vivendo a condição intrauterina. O feto está em harmonia e em seu cérebro se forma o sentimento correspondente a esse estado, que parece derivado de estarmos grudados à nossa mãe, talvez fazendo parte dela. **Nós e ela somos um só.**

O cérebro não opera para além do essencial. Assim, não havendo problemas, o único registro é o da serenidade. Como não conhece outro estado, o cérebro não se entedia com a pasmaceira que depois virá a ser insuportável. Nesse contexto, mãe e filho sentem-se aconchegados. **Penso que esta é a mais primitiva e singela manifestação do complexo fenômeno amoroso: uma sensação de completude (vivenciada de forma mais clara pela mãe, posto que ela conhece os desconfortos) que deriva de um estado vivenciado como fusão com outro ser humano.**

Reafirmo minha crença de que os sentimentos correspondentes a essa sensação se perpetuam no cérebro vazio; constituem nosso primeiro registro. Os primeiros momentos do qual restam registros cerebrais são ótimos. A vida com alguma consciência começa, pois, muito bem.

1 Platão. *O banquete*. Rio de Janeiro: Difel, 1999.

dois

Apesar do aparente início positivo, o fato de termos a sensação de completude como primeiro registro cerebral é bastante problemático, porque os registros posteriores serão comparados com ele e dificilmente parecerão assim apaziguantes. Poderão ser muito ricos e interessantes, mas nunca mais tão harmoniosos. O mais grave é que a sensação seguinte à de completude será extraordinariamente dramática: de repente, rompe-se a bolsa que contém o líquido amniótico e o feto; inicia-se o doloroso trabalho de parto. É o nosso *big bang*[2].

A criança nasce chorando e em pânico. A expressão facial denuncia esse máximo desespero. Não poderia ser diferente, pois sai do bem-bom para o péssimo. Impossível imaginar uma transição mais drástica. Os que assistem ao parto sorriem de alegria, saudando a chegada de um novo ser. Mas ele chora, e muito. Os esforços atuais que visam a atenuar o golpe do nascimento são mais que válidos; porém, trata-se de manobras paliativas de pequena monta perto do drama real do recém-nascido.

2 Por vezes pergunto-me sobre as eventuais correlações entre esse nosso nascimento e o que os astrônomos descrevem como o nascimento do universo.

Quanto mais penso no tema, mais se confirma minha convicção de considerar o nascimento como o maior e mais marcante dentre todos os traumas que a vida nos reserva. Estávamos no paraíso e saímos dali diretamente para um campo de torturas! O desespero, aos poucos, vai se atenuando, e o bebê, graças aos cuidados recebidos, percebe que não está totalmente abandonado e que seu novo estado — capaz de gerar uma sensação terrível de desamparo — pode ser amenizado pela presença prestativa da mãe (ou de uma substituta dela), sempre (ou quase) à disposição para aliviar todo tipo de desconforto físico. É tudo novo e nada agradável, já que o bebê desconhecia fome, sede e frio, assim como detritos incômodos. Nem respirar ele precisava, uma vez que no útero recebia sangue previamente oxigenado.

O nascimento sempre recebeu o tratamento dedicado aos "fatos naturais", e talvez por isso suas dores e vivências traumáticas tenham sido bastante negligenciadas. É curioso pensar que fatos naturais possam ser brutalmente traumáticos; porém, é estranho também negligenciá-los apenas porque são "naturais". A dor da mulher durante o parto foi capaz de atrair a atenção médica antes da dor que envolve a criança. Assim, em meados do século XX começou-se a falar no "parto sem dor" para a mãe — o que redundou em um aumento enorme do número de partos cesáreos. Algumas décadas depois, os ginecologistas se deram conta de que talvez fosse interessante cuidar um pouco mais do sofrimento do bebê, que deveria nascer sorrindo (o que é impossível).

Espero que, ao longo deste século, a psicologia finalmente venha a se interessar seriamente pelo assunto, objeto de minhas reflexões desde 1980. Afora as honrosas exceções que sempre existem (dentre elas a figura extraordinária de Otto Rank, autor de *O trauma do nascimento*, lançado ainda na primeira metade do século XX[3]), a verdade é que a maior parte dos psicanalistas continua muito mais interessada no complexo de Édipo e em outros eventos mais tardios.

Estudos de neurofisiologia mostram que as experiências traumáticas de grande magnitude deixam marcas quase definitivas, que ficam de alguma forma registradas fisicamente no sistema nervoso central. Assim, há marcas físicas e emocionais. Aqueles que viveram tempos de guerra, passaram por campos de concentração, tiveram de fugir de incêndios, de atentados terroristas, de graves intempéries climáticas — dentre tantos eventos traumáticos terríveis a que estamos sujeitos — podem até mesmo passar longos períodos sem se lembrar das dores e das situações tenebrosas a que estiveram submetidos. Porém, vez por outra as reminiscências voltam com toda a força, como se tivessem acontecido ontem. Os traumas deixam marcas e influenciam a vida de quase todos aqueles que os vivenciaram.

Não podemos, pois, continuar a desconsiderar o trauma do nascimento, o primeiro e maior de todos, que nos pega totalmente despreparados, dependentes e

3 A edição alemã desse livro (*Das Trauma der Geburt*) é de 1924. A que consultei foi lançada pela Basic Books, de Nova York, em 1952.

ainda muito frágeis. Ele será responsável por vários aspectos relevantes de nossa história futura, especialmente aqueles de que tratarei nas páginas seguintes. **E vejam mais um aspecto importantíssimo da questão: trata-se de algo que acontece na fronteira que separa o que é inato, puramente biológico, daquilo que nos acontece como experiência de vida, inevitável e universal. Porém, não é parte, por exemplo, de nosso arsenal genético. Não é sequer fenômeno definitivo e inevitável quando se pensa no avanço da ciência e da técnica.** Se, no futuro, pudermos gerar fetos em incubadeiras de vidro (não estamos tão longe disso), se eles puderem ficar lá por mais que os nove meses da gestação uterina, se puderem observar o que está ao redor sem ter de "nascer" (sair da incubadeira), se puderem nascer e desnascer (voltar para a incubadeira de quando em quando), talvez venhamos a conhecer criaturas desprovidas do trauma do nascimento. Mas elas poderão, com propriedade, ser chamadas de humanas?

três

O único recurso de que dispomos para tentar entender o que acontece na subjetividade do bebê é a observação. Ele chora e se move com gestos desordenados, dando a impressão de estar se sentindo desprotegido, perdido, ameaçado, fraco e sem defesas em relação ao ambiente que o cerca. Chamamos esse estado de desamparo, e penso que o recém-nascido se sente assim. Tudo leva a crer que seu estado íntimo é horrível; aliás, quando, depois de adultos, vemo-nos em situações que lembram a condição do bebê (por exemplo, deitados numa maca e entrando em um centro cirúrgico, sentindo-nos perdidos em uma cidade desconhecida de um país do qual não falamos a língua etc.), somos tomados por uma dolorosa sensação de desamparo.

O que parece atenuar o sofrimento da criancinha? Sentir-se aconchegada pela mãe (ou algum adulto que esteja em seu lugar). Em seu colo, sugando seu seio (ou se alimentando por meio da mamadeira), parece que ela sente algo que talvez rememore a vida intrauterina. **A criança, antes protegida dentro do ventre materno, agora é aconchegada do lado de fora.** Os desconfortos, todos novos e inesperados (isso se comparados com o que lhe acontecia antes de nascer), são de natureza variada e se relacionam com funções fisiológicas que antes se resolviam sem perturbar o sossego da vida fetal. Agora estão presentes as assaduras incômodas derivadas do uso de fraldas; durante a alimentação, o bebê ingere muito ar e aí surgem as manobras que favorecem o arroto; isso sem falar das freqüentes cólicas intestinais, pequenas infecções, dores de ouvido etc.

Não resta a menor dúvida de que nascer é uma transição para pior! Ao menos nessa fase. Os cuidados práticos com o bebê são intensíssimos e se sucedem ao longo dos dias e das noites, deixando as mães (especialmente as mais ansiosas ou inexperientes) exaustas. Quando conseguem adivinhar a razão do choro do filhinho e aplacar tanto seu sofrimento físico como o emocional, ele adormece sereno. Sente-se aconchegado, e esse parece ser seu único grande e genuíno prazer ao longo das primeiras semanas de vida.

Caso a mãe esteja, por alguns minutos, afastada dele — e isso é inevitável — e justamente nesse período surja algum desconforto que o acorde, lá estará presente de novo o choro, a terrível e desesperadora sensação de dor, desproteção e desamparo. Mesmo as mães mais prestativas (e bem auxiliadas) não são capazes de impedir a repetição desses momentos de sofrimento. **O sucesso na sua resolução traz de volta a sensação de aconchego.** A vida do neonato parece consistir na alternância entre o desespero e sua superação, que leva ao aconchego; este inevitavelmente será rompido pelo reaparecimento de algum desconforto, que traz de volta a sensação de desespero, que será de novo resolvido e trará de volta a sensação de paz e equilíbrio.

Assim, o recém-nascido vive no domínio da dor, e seu único e grande prazer é o que deriva do fim desta (um tipo de prazer chamado de negativo, porque aparece como remédio para um sofrimento). O bebê ou está chorando ou está dormindo. Isso, é claro, bem no início da vida.

A responsável pela resolução de suas dores e pela recuperação do equilíbrio é aquela pessoa especial cuja simples presença (cada vez mais familiar aos olhos da criança) já parece trazer boas-novas. Assim, não há dúvida de que para o bebê a mãe é tudo! Ele não seria capaz de sobreviver sem ela, que é a razão de sua existência[4]. A criança nutre pela mãe um sentimento especial e crescente. Quer estar cada vez mais perto dela, aconchegada em seu colo — o melhor lugar que existe e seu maior prazer.

Tenho definido o amor com base nessas considerações. Seria o sentimento que a criancinha tem pela mãe, que a aconchega e a salva do abandono. O amor é, pois, o que sentimos por quem nos dá o prazer negativo derivado do fim da dor do desamparo. Nossas vivências adultas acerca do amor não são muito diferentes. Penso que, ao menos em parte, nossos amores

4 É curioso pensar que essas frases foram extraídas, deliberadamente, do discurso amoroso adulto.

adultos repetem essa vivência inicial. Como não costumamos sequer tentar resolver a sensação de desamparo por nossos próprios meios, vamos em busca de outra pessoa especial para substituir nossa mãe, pessoa essa que terá a missão de nos aconchegar ao longo de toda a vida adulta.

quatro

As semanas vão se sucedendo e os períodos de sono vão diminuindo. A motricidade se aprimora, de modo que o bebê sustenta a cabeça e depois consegue se sentar. Acordado, é estimulado pelo meio: passam pessoas à sua frente, ele é levado a locais abertos para tomar sol, é estimulado pelo ruído dos chocalhos e por outros brinquedos, que também podem emitir luzes. Conhece cada vez mais objetos, locais e pessoas. Conhece e depois os reconhece. Sorri para as pessoas reconhecidas (inclusive para o pai, que só aí entra efetivamente na história), e isso é sinal de satisfação e aconchego. **O novo assusta e o conhecido apazigua.** (E não somos assim ao longo de toda a vida, apesar das queixas freqüentes quanto ao tédio e a monotonia da rotina que se repete?)

Nosso cérebro é privilegiado, de modo que a criança vai registrando tudo e se abastecendo cada vez mais de informações que incluem palavras (sons com significado fixo e específico). A maturação do sistema nervoso periférico e dos ossos e músculos permite que a criança engatinhe e, no fim do primeiro ano de vida, ensaie os primeiros passos. Ela avança tanto fisicamente como na acumulação de dados dentro do cérebro — que costumo comparar ao *hardware*, ou seja, à máquina dos computadores. Aos poucos, nosso equipamento inato vai se ativando graças à elaboração de um embrião de *software*, ou do programa formado graças à memória que permite o acúmulo de informações (que, aos poucos, serão correlacionadas entre si).

A criança passa a perceber que ela e a mãe são entidades distintas. Tudo leva a crer que até então a criança se via como uma extensão da mãe, como se a situação uterina ainda estivesse em vigor. **Autores chamam o que acontece no fim do primeiro ano de vida de "nascimento psicológico", nome muito apropriado porque indica o início da consciência de si, ou seja, seu efetivo nascimento.**

O período coincide com o empenho em conhecer os próprios limites físicos, ou seja, o corpo. Conhecer é olhar, é colocar na boca, é tocar. **De repente, uma surpresa: o toque de determinadas partes do corpo provoca uma sensação curiosa e bastante agradável, algo como um calafrio gostoso.** Mais tarde chamaremos tais partes do corpo de zonas erógenas, que correspondem essencialmente aos genitais e ao orifício externo do ânus. A criança tende a repetir o procedimento de toque dessas regiões geradoras de prazer. A maior parte das pessoas reproduz essas práticas ao longo da infância, da adolescência e mesmo da vida adulta.

A sensação agradável que chamamos de excitação sexual surge, pois, como um fenômeno pessoal, ou seja, como algo que acontece independentemente da

participação de qualquer outra pessoa. Trata-se de um prazer positivo (assim chamado porque não acontece como conseqüência do fim de uma dor, como no prazer negativo). A criança estava serena, em equilíbrio, e por meio do toque passou a experimentar um prazer que a levou do estágio zero a uma zona agradável, positiva.

A excitação sexual é pessoal, chamada de auto-erótica porque não depende de outras pessoas, nem mesmo da mãe. É excitação (prazer positivo), e não paz (prazer negativo). O amor que a criança sente pela mãe depende, é claro, da existência desta! É, pois, um fenômeno interpessoal por excelência. Assim, amor é prazer negativo e interpessoal. Sexo é prazer positivo e pessoal.

É incrível como aspectos assim diferentes, próprios de nossas primeiras experiências, tenham sido tratados como parte de um mesmo processo, de um mesmo instinto (palavra muito usada, mas para a qual ainda não consegui encontrar uma definição precisa). Enganos primários em temas assim relevantes e básicos só poderão gerar desdobramentos bastante perniciosos à qualidade de nossa vida adulta.

cinco

Não é impossível que a excitação sexual derivada da manipulação das zonas erógenas reforce a idéia, que está se formando, de que o bebê é um ser em si mesmo, e não uma parte da mãe. Ela se manifesta concomitantemente aos importantes avanços motores que o permitem começar a andar, bem como aos progressos psíquicos que permitem o esboçar das primeiras palavras. No fim do segundo ano de vida, ele se move sozinho, fala frases compreensíveis, tem algum controle esfinctérico e já está cheio de gostos, vontades e "opiniões" sobre vários temas do cotidiano.

Observar uma criança nessa fase é extremamente revelador. Ao chegar com a mãe em um ambiente desconhecido, ela, como regra, sente-se ameaçada pelo novo e não desgruda da figura protetora. Aos poucos, vai se sentindo mais segura, mais confortável com o local e, em dado momento, desce do colo aconchegante. Está suficientemente segura para iniciar a tarefa de "desbravar" aquele lugar: toca tudo que vê e coloca os objetos na boca; usa todos os sentidos para conhecer suas peculiaridades, especialmente dos que até então eram desconhecidos. Sorri para o gosto de alguns e faz careta para outros. Tenta jogar alguns objetos e avalia o peso deles. Busca saber sua função. Ao tentar entender, por exemplo, como funciona uma caixa de música (que toca música quando sua tampa é aberta e deixa de tocar quando ela se fecha), repete a ação inúmeras vezes para, por fim, abrir um enorme sorriso de satisfação próprio de quem descobriu algo excepcional.

A criança descobre, sempre com a mesma satisfação, como abrir e fechar portas, retirar o papel que recobre uma bala, mover uma cadeira de balanço. É óbvio o prazer relacionado com o aprender[5]. Acumula as informações em seu *software* cada vez mais ativo e, com o passar dos meses, torna-se capaz de brincar com criatividade e imaginação crescentes. Assiste aos filmes produzidos para sua faixa etária e deleita-se com as imagens, músicas e histórias que entende cada vez melhor.

Em todos esses casos, a criança está se comportando como um indivíduo autônomo, exercendo sua individualidade incipiente e, pela maneira como organiza as informações que acumula, formando sua identidade. Vai adquirindo uma forma própria de pensar e de se comportar. Encontra satisfação (além daquela de natureza erótica já mencionada) longe e indepen-

5 É muito importante enfatizar esse aspecto, já que são inúmeros os indivíduos que, com o passar dos anos, perdem o prazer natural e inato relacionado com o aprendizado. Tornam-se adolescentes e adultos apáticos, abúlicos, entediados, que só conseguem se entreter passivamente com programas de TV ou conversas com pessoas divertidas. Não raramente acabam "matando" o tédio por meio do uso de álcool ou outras drogas.

dentemente da presença da mãe. Os prazeres relacionados com o aprendizado também são positivos, pois não dependem de sofrimento prévio. **O mais importante aqui é registrar que a mãe deixa de ser a única fonte de gratificações.**

Os fatos que descrevi acontecem quando tudo está transcorrendo bem. Se a criança escorrega, cai e sente dor, ela chora e corre para o colo materno, para o aconchego (importante prazer negativo) que atenua o desamparo e a insegurança que, de novo, manifestaram-se de forma intensa e obrigaram-na a interromper todas aquelas atividades — por mais prazerosas que fossem. Logo que a dor passa e a criança se acalma, ela volta a abandonar o colo protetor e continua sua expedição exploratória, divertida e estimulante. Se a mãe se levantar para ir ao banheiro, por exemplo, ela imediatamente abandonará tudo e correrá para junto dela. **É muito importante registrar que tudo que foi narrado se manifesta nos casos, felizmente majoritários, em que a criança confia no papel aconchegante da mãe. Ao se sentir muito insegura em relação à constância do "porto seguro", tenderá a ficar mais agarrada à mãe, com medo de descer de seu colo e ser abandonada.** É claro que todas as crianças têm algum tipo de incerteza, já que as mães não estiveram presentes para socorrê-las em todos os momentos de desconforto. Durante a noite, por exemplo, as crianças choram e, por vezes, demoram um pouco para ser atendidas. Não faz mal, pois ninguém pode ser onipresente. As mães têm apenas de ser "suficientemente boas" (Winnicott[6]) para evitar problemas mais graves relacionados com esses vínculos iniciais e tão fundamentais (Bowby[7]).

6 Winnicott, D. W. *Home is where we start from: essays by a psychoanalyst.* Nova York: W. W. Norton & Company, 1986. [*Tudo começa em casa.* São Paulo: Martins Fontes, 2005.]
7 Bowlby, J. *Attachment.* Nova York: Basic Books, 1982. [Attachment and Loss, v. 1.] [*Apego e perda, v. 1.* São Paulo: Martins Fontes, 2002.]

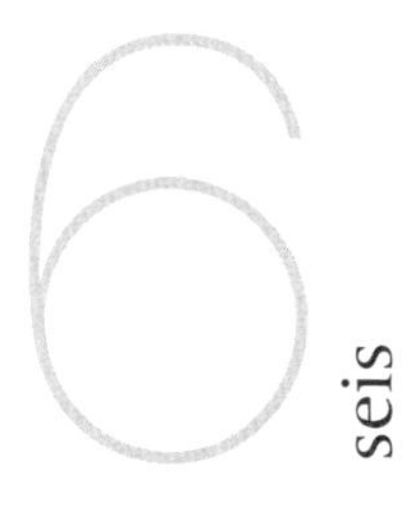

seis

Nos primeiros momentos da vida, só existiam sensações de desamparo e de aconchego, e o psiquismo era praticamente vazio; o único dilema era relacionado com os desconfortos e a presença, ou não, da figura materna capaz de apaziguá-los. Com a evolução motora e a crescente competência para o uso das potencialidades cerebrais, forma-se a individualidade e compõe-se uma identidade peculiar. A individualidade está relacionada com ações e pensamentos variados, além de estar ligada aos prazeres auto-eróticos. **A mãe — e o amor que a criança sente por ela — corresponde à paz, enquanto a individualidade corresponde à ação e a entretenimentos de todo tipo. A criança gosta da mãe e precisa dela nas horas em que se sente insegura, mas adora brincar e se divertir longe dela. Está criado o primeiro e grande dilema: amor *versus* individualidade.** Ficar no colo da mãe é renunciar ao brincar; e as brincadeiras, por vezes, implicam se afastar dela. Nem sempre é possível conciliar as duas coisas e nem sempre é fácil decidir com sabedoria pela melhor opção. De todo modo, fica claro que não se pode esperar do amor a ação e o entretenimento próprios do exercício da individualidade. O amor pode, por vezes, parecer um tanto tedioso em comparação com as brincadeiras ou filmes e desenhos animados da TV[8].

A criança continua muito apegada à mãe e necessita dela por perto (talvez não mais tão perto a ponto de sempre poder ser alcançada com os olhos) ao longo de vários anos. O dilema entre amor e individualidade mostra-se de forma clara mesmo lá pelos 7 ou 8 anos de idade, quando a criança vai passar o fim de semana na casa de um primo ou amigo. Brinca e se diverte o dia inteiro; nem se lembra da mãe. Na hora de dormir, quando a atividade se arrefece e ela se vê na cama sozinha, em um local estranho e cercada de pessoas que, mesmo conhecidas, não são seus pais, começa a chorar e a pedir pela mãe.

A situação é, por vezes, um tanto vergonhosa e inesperada. Além de ser a hora do repouso, parece que as noites são sempre mais assustadoras. O psiquismo desocupado experimenta uma sensação muito desagradável. É o desespero, que agora se manifesta de forma mais parecida com a dos adultos. O remédio? O aconchego materno! Quantos pais já não tiveram de ir resgatar os filhos desesperados em noites nas quais esperavam se divertir mais? **Com o passar dos anos, vai ficando claro que o avanço da individualidade não faz que o desejo de aconchego amoroso desapareça — por vezes ele nem sequer diminui. Não deixa de ser curiosa essa observação, principalmente se conside-**

8 O mesmo vale para a vida adulta, quando muitas pessoas esperam — erradamente — que o amado as divirta e sentem-se frustradas e entediadas com a falta de ação que envolve a vida conjugal.

rarmos que as necessidades práticas diminuem muito (aos 12 ou 13 anos de idade, um pré-adolescente é capaz de cuidar de tudo que é seu; a maioridade judaica acontece aos 13 anos). **Ou seja, não existe uma contrapartida emocional para o fim da dependência prática!** Se o bebê amava a mãe porque não se concebia como indivíduo e também porque dependia dela para tudo, o desaparecimento dessas duas variáveis não altera de forma dramática a sensação de que somos uma metade e de que só nos "completamos" quando a simbiose se refaz. **Passamos melhor longe da mãe amada quando estamos ocupados, entretidos com assuntos individuais. Quando estamos em repouso, volta o "buraco", símbolo de incompletude, uma espécie de cicatriz de nossas vivências originais.** Não há mais dependência prática, mas aquela de natureza emocional (desprovida de qualquer finalidade relacionada com nossa sobrevivência), que se estabeleceu ao longo dos primeiros anos, continua forte e não dá sinais de querer nos abandonar. O fenômeno não tem nada de lógico. Parece mesmo um reflexo condicionado, fruto da traumática ruptura da aliança uterina.

Parece que queremos sempre voltar ao útero, desnascer. Isso não pode ser tratado como a maior das maravilhas, como o que de melhor podemos vivenciar ao longo da nossa trajetória sobre a Terra. Trata-se de um problema a ser resolvido, e não de algo a ser cultuado em verso e prosa. O problema não teria a gravidade que tem se não fosse pelo fato de que os chamados amores adultos repetem a mesma mecânica: o desejo de exercer a individualidade em concomitância com o de querer o parceiro sentimental por perto. Acontece que o amado tem sua individualidade que quer se exercer e também quer o amante por perto! A luta pelo poder, para que uma cabeça "mande" mais que a outra e ambas caminhem juntas, é parte do cotidiano da maioria dos casais. Aquele que cede nem sempre o faz de boa vontade, de modo que as brigas e o desgaste dos sentimentos são quase que obrigatórios.

7 sete

Um dos aspectos mais complicados para quem lida com o tema do amor é a existência de várias "fórmulas prontas" que as pessoas aprenderam e repetem como se fossem verdades absolutas e indiscutíveis. É quase impossível evitar a revolta (um tanto irracional) de muitas dessas pessoas quando se tenta refletir mais criticamente sobre tal emoção. É como se estivesse sendo cometida uma heresia, um pecado grave. Uma dessas fórmulas diz que a pessoa precisa primeiro se amar para depois poder amar outra pessoa. Ela faz o caminho inverso da expressão bíblica que pede que se ame o próximo como a si mesmo.

O tema é extremamente complexo e espero poder tratar, aos poucos, de todas as suas nuanças. Uma delas é que as pessoas que aparentemente "se amam" são as mais extrovertidas e as que se autopromovem; via de regra, são egoístas e incapazes de verdadeiramente amar o outro. As mais tímidas e que se reconhecem como portadoras de baixa auto-estima são as que mais voluptuosamente se entregam ao encantamento amoroso. Assim, parece que a prática nos ensina exatamente o contrário do que a "fórmula" propõe.

Acompanhando a seqüência do raciocínio que estou tentando desenvolver, fica claro que minha discordância é mais radical: não é possível existir amor por si mesmo! Essa conclusão deriva da forma como defino o amor: sentimento que temos por quem nos provoca a sensação de paz e aconchego. **A menos que fôssemos capazes de sentir paz e aconchego por estarmos em nossa própria presença, é impossível amar a si mesmo**; e, nesse caso, teríamos de nos perguntar: "Para que amar outra pessoa e que benefício teríamos ao fazer isso?" O amor é, a meu ver, um fenômeno estritamente interpessoal, de modo que não pode ser reduzido à fórmula pessoal do "amar a si mesmo".

O amor precisa ser pensado corretamente, ou seja, como um sentimento; se usarmos o termo como sinônimo de auto-estima, estaremos cometendo um erro importante. **Auto-estima é um juízo de valor, e não um sentimento. É uma espécie de nota que damos a nós mesmos — em geral, nota equivocada para menos. O sentimento amoroso, em sua versão original (da criança pela mãe) é visceral, automático, relacionado com a simbiose uterina. Amor tem objeto. Auto-estima é racional e corresponde a uma auto-avaliação.**

Considerando seriamente a separação que faço entre sexo e amor, podemos perceber que o sexo, este sim, é um fenômeno pessoal. Ou seja, existe — desde o fim do primeiro ano de vida — a excitação em si mesmo (expressão mais adequada do que excitação por si mesmo). Nós humanos podemos nos excitar sexualmente de forma individual e solitária. A partir dos 6 ou 7 anos de idade, podemos nos excitar pelo simples fato de estarmos sendo objeto de olhares de admiração de outros (indefinidos e sem importância sentimental): a esse fenômeno importantíssimo para o entendimento da vida privada e social dá-se o nome de "vaidade".

Em síntese, existe alguma coisa importante que sentimos em nós mesmos. Porém, essa coisa não é amor, e sim excitação sexual derivada da estimulação das zonas erógenas ou do exibicionismo. Os enganos relacionados com a idéia do amor por si mesmo (o narcisismo da teoria psicanalítica) correm por conta da não separação entre sexo e amor (um dos pilares dessa mesma teoria). A meu ver, não existe o amar a si mesmo nem o desejar a si mesmo; existe o auto-erotismo, ou a capacidade de se excitar em si mesmo.

As crianças convivem umas com as outras desde muito cedo. As relações são singelas e acima de tudo determinadas pelas circunstâncias: irmãos, primos, vizinhos, colegas de escolinha e filhos de amigos de seus pais. Nessa fase da vida, não são muito discriminadas, de modo que é raro manifestarem claras preferências por alguma delas. É assim até os 6 anos de idade[9].

Graças à sofisticação da razão, derivada do crescente volume de informações acumuladas na memória, crianças a partir dos 6 anos já têm a identidade mais bem definida, e ela se manifesta também na forma de preferências humanas. Gostam mais de brincar com algumas crianças e se irritam com certas atitudes de outras. Querem estar perto de umas e se afastar de outras com as quais não sentem afinidade. Conversam mais longa e sinceramente com um ou dois colegas, e essa intimidade vai definindo um novo tipo de apego que se inicia pela via intelectual: sentem-se aconchegadas pelo fato de se acharem compreendidas por criaturas

9 Hoje, as crianças são estimuladas intelectualmente desde muito cedo e numa intensidade inusitada. Manifestam comportamentos em idades anteriores ao que acontecia, digamos, há quarenta anos.

que pensam de forma parecida; experimentam a sensação de não estarem tão sozinhas no mundo!

Estamos diante de outro remédio para o desamparo. O amor corresponde à paz derivada de um calor físico que a criança sente no colo da mãe, ao passo que essa outra emoção chamada de amizade corresponde a um aconchego mais abstrato, derivado de a criança sentir-se entendida, não julgada, parte de um conjunto de pessoas (que pode perfeitamente conter mais do que duas) afins. O amor é, como já sabemos, prazer negativo, ao passo que a amizade tem caráter essencialmente positivo: o prazer derivado da troca de idéias é grande mesmo na ausência de alguma dor prévia. Na amizade existe também o prazer negativo, na medida em que é aos amigos que recorremos nas horas de sofrimento; isso se deve ao fato de confiarmos neles e nos sentirmos à vontade para falar de nossas mazelas.

O amor é aconchego físico, enquanto a amizade é aconchego intelectual. A criança — e depois o adolescente e o adulto — sente falta dos amigos (que podem ser vários, apesar de tender a haver um preferido, o "melhor amigo"), mas não da forma desesperada que experimenta na ausência da mãe e de seus substitutos posteriores. Não gostamos que o amigo mais querido seja muito íntimo de outras pessoas, mesmo quando elas também são nossas amigas. O ciúme acontece, mas tem intensidade muito menor do que o que sentimos em relação à mãe e a seus substitutos. O ciúme é tema importantíssimo e ganhará algum espaço ao longo do texto[10].

A amizade adquire uma força extraordinária a partir da puberdade e do início da adolescência. A chegada da sexualidade adulta é chocante e provoca grande impacto na psicologia de rapazes e moças. O equilíbrio — quase sempre meio precário — entre amor e individualidade se perturba muito. O passar dos anos faz que a individualidade tenda a ganhar espaço crescente, e isso só se reforça com a plena expressão do erotismo (até aqui sempre do lado oposto ao do amor). A consciência do que seja a vida adulta e suas vicissitudes também parece impulsionar os jovens na rota de uma ruptura mais radical com seus vínculos afetivos originais.

Muitos jovens passam a implicar com o modo de ser de seus familiares e agem grosseiramente, afastando-se deles de maneira ostensiva: vestem-se de forma a desagradá-los, fecham-se no quarto e pouco conversam com os que até então eram sua referência, ouvem músicas quase sempre estranhas e em volumes pouco toleráveis etc. Tornam-se os "do contra", os que pensam sempre de forma oposta à de seus pais. Tentam formar sua individualidade indo contra tudo que vivenciaram e aprenderam. É claro que isso indica uma luta da individualidade para se impor, e não sua vitória: quem está mesmo individuado não preci-

10 Para mais detalhes, sugiro a leitura de minhas reflexões sobre o tema em *Ensaios sobre o amor e a solidão* (MG Editores, 2005).

sa se opor a nada e muito menos fazê-lo de forma grosseira! Muitos pais compreendem tudo que acontece com seus filhos porque se lembram de terem passado por uma fase similar; outros parecem não ter uma memória tão boa.

Na prática, o esfriamento das relações com os membros da família se estabelece graças à aproximação maior dos amigos. Os moços abandonam o núcleo original e se organizam em outros, próprios, cujos membros estão vivenciando experiências e dilemas similares e encontrando soluções parecidas, ao menos superficialmente. Formam-se as "tribos" de jovens, os rebeldes que querem ser diferentes dos pais, que querem ser originais e chamar a atenção das pessoas — manifestação mais característica da vaidade. Como não toleram a dor da solidão — causadora do desespero várias vezes vivenciado —, que é inevitável para os que são mesmo muito diferentes de todos os outros humanos, unem-se a outros "diferentes", formando a "tribo" dos que são iguais entre si. **São diferentes em relação aos outros (isso estimula a vaidade) e iguais entre si (isso provoca o aconchego).**

É indiscutível que as fortes manifestações da sexualidade adulta (entre outros anseios) pedem crescente destaque, constituindo importante reforço do individualismo que afasta os jovens de suas famílias. O destaque, pleito do erotismo, provoca a sensação de solidão, e a dor do desamparo correspondente se atenua por meio da formação dos grupos de amigos parecidos.

O amor está totalmente enfraquecido; a individualidade, muito fortalecida. A dor do desamparo está apenas atenuada pelo grupo de amigos nessa primeira fase da adolescência. A vitória da individualidade é temporária e parcial.

nove

Sabemos que, apesar da crescente competência prática para a auto-suficiência, a "vitória final" da individualidade sobre o amor não costuma acontecer. O erotismo adulto, além de reforçar a individualidade aumentando a importância da vaidade, estimula as pessoas a procurarem um par, geralmente do sexo oposto, o que pode gerar certo encantamento para além do sexual. Isso não se observa com tanta facilidade, especialmente nos homens, uma vez que a resolução do desejo determina um retraimento, de modo que a tendência é que a individualidade volte a dominar. Com o passar dos anos, os grupos de amigos tendem a se esfacelar, já que cada um segue seu caminho. Isso acontece em um momento em que cada jovem já dispõe de maior autonomia.

Ocorre, na realidade, que de repente renascem os anseios de aconchego derivados da aliança com outro ser tido como muito especial. Mesmo quando mal conhecemos a pessoa escolhida, passamos a nutrir por ela um sentimento parecido com o que tínhamos por nossa mãe. É o amor, dando claros sinais de que não estava mesmo morto e sim encubado, encapsulado em algum lugar da subjetividade.

Por que acontece isso? Por que não continuamos a seguir a trajetória da total independência, que era o objetivo perseguido desde quando pudemos pensar por conta própria? O que explica essa inversão tão radical do pêndulo na direção daquilo que parecia superado e resolvido?

É importante deixar claro que essa reversão não era inevitável, derivada de propriedades que são da nossa natureza biológica. Poderia — ou poderá — não ser assim. Fenômeno similar acontece com os cães: podem viver solitários pelas ruas ou se apegar de forma extraordinária ao conviverem intimamente com os humanos. Ou seja, penso que nossa biologia nos deixa livres e que outros fatores, de natureza psicológica e social, podem interferir muito no que nos acontece.

Creio que sobram em nós importantes reminiscências e condicionamentos relacionados às nossas vivências infantis; elas podem influenciar muito a vida adulta, bem mais do que gostaríamos e do que seria interessante e conveniente. O surgimento da sexualidade adulta participa do processo de duas formas diferentes: uma pelo fato de que algumas pessoas parecem capazes de nos "hipnotizar" por força do encantamento erótico e determinar um desejo de intimidade maior e mais constante, o que aumenta o risco de apego (nem sempre muito adequado). A outra tem que ver com o fato de que a excitação sexual é muito agradável, mas extraordinariamente solitária — especialmente na hora do orgasmo, em que o outro desaparece de cena até mesmo na fantasia masturbatória; essa sensação de desamparo, bem

conhecida, pode ser insustentável e busca soluções que repetem aquelas da infância.

Não devemos também subestimar a influência cultural, uma vez que as famílias de que viemos estão insertas em uma ordem social na qual a reprodução pede o acoplamento estável entre o homem e a mulher. Os aspectos românticos das relações entre os adultos nos são transmitidos também por meio das trocas de carícias que assistimos nos filmes e na TV (além, é claro, do que observamos ao olhar para os lados em nosso cotidiano). A complexidade dessa questão acerca do reaparecimento do anseio amoroso a partir dos 15 ou 16 anos de idade é enorme, e não sei se é o caso de aprofundá-la aqui. **O fato é que o amor ressurge com todo o vigor a partir daí. Reaparece com suas características originais, similares às da relação mãe—filho original. Não adquire as características típicas das relações de amizade, usuais nos anos anteriores. Volta em sua versão mais regressiva: o desejo de fusão dos que se amam!**

Assim, o dilema entre o desejo de aconchego derivado da intimidade com aquela criatura especial e os anseios da individualidade também volta com todo o vigor. **Assim como o amor ressurge em sua versão original e primitiva, a individualidade avança muito com o passar dos anos: o jovem, além de ser capaz de resolver quase todas as questões práticas, também já constituiu um sistema de pensamento mais sólido e consistente, já tem seus pontos de vista bem mais definidos.** Esses pontos de vista ainda estarão em rápida mudança ao longo dos próximos anos, mas são vivenciados, em cada momento, como consistentes e definitivos.

A individualidade também fica muito reforçada pelo lado da sexualidade (à qual sempre esteve vinculada). Isso acontece tanto pelo aspecto exibicionista da vaidade como pela própria excitação e pelos desejos sempre presentes; estes, como regra, não têm um objeto definido — a excitação ou o desejo se manifestam em múltiplas e variadas circunstâncias, desencadeadas por várias pessoas quase sempre pouco relevantes quanto a outros aspectos.

O dilema reaparece, pois, em uma versão mais radical: por um lado a individualidade, por outro o amor romântico de fusão, ambos muito fortes. A fusão só não ameaçaria a individualidade se amante e amado fossem idênticos, o que é impossível. Como resolver o dilema? Abrindo mão de um ou de outro pólo da dualidade? Essa não costuma ser uma boa saída, nem muito duradoura, já que a parte que é excluída passa a falar mais alto dentro de nós.

Nossa mente sofisticada e engenhosa costuma lançar mão de expedientes sutis com o intuito de tentar resolver dualidades desse tipo. Um deles consiste em transferir um dos pólos para o universo do imaginário. Na situação mais comum, o amor vai para esse plano e é vivido apenas em fantasia, enquanto a individualidade continua a reinar no cotidiano real. Rapazes e moças, por volta dos 15 anos de idade, se apaixonam por criaturas próximas ou distantes, vizinhos ou astros de cinema e ídolos musicais. A condição é clara: a de não serem correspondidos! O ideal é que o amado não seja sequer informado do que está acontecendo na subjetividade do que ama. Na presença de qualquer sinal de reciprocidade, o encantamento se esvazia imediatamente. Não é para ser real.

dez

Os jovens podem viver esse tipo de situação ao longo de vários meses — e, não raramente, anos. No dia-a-dia, estão próximos dos amigos, tentam evoluir na "arte" das paqueras eróticas, fazem enorme esforço para ter o mínimo de concentração nos estudos, levam a vida familiar aos trancos e barrancos por se sentirem muito mal compreendidos em suas atitudes de rebeldia. Agora, quando têm um tempo livre, trancam-se no quarto, colocam alguma música evocadora do sentimento amoroso e se imaginam vivenciando o contexto romântico em toda sua plenitude, como se tudo fosse — ou pudesse facilmente vir a ser — real. Imaginam-se ao lado da pessoa amada, passeando pelos campos, andando à beira-mar num pôr-do-sol lindo, constroem diálogos de amor similar aos que aprenderam nos livros ou filmes românticos. Conseguem elaborar uma história completa, beijam-se apaixonadamente e trocam promessas de amor eterno. O clima desses devaneios é essencialmente o da ternura e raramente tem qualquer pitada de erotismo. Parece que o sexo não combina facilmente com esse tipo de atmosfera!

Quando interrompem as histórias nas quais "sonham acordados", experimentam certa tristeza pelo fato de não se tratar da vida real. É claro que ficam muito tristes se têm alguma notícia acerca do entusiasmo do amado por outra pessoa. Nem por isso desistem dele e muito menos dos devaneios; logo que podem, repetem novamente o mesmo sonho encantador. Fazem-no nas horas de calmaria, nas noites solitárias, quando não estão entretidos com seus afazeres. **Aos 8 ou 9 anos de idade, essas são as horas em que sentem a dor forte do desamparo e buscam encontrar os meios de se achegar à mãe; agora, em vez de chorar por sua presença, sonham a aventura romântica com o personagem que é o substituto "adulto" da figura da mãe. O imaginário dá uma solução, ainda que precária, para o problema que antes não tinha solução, de sorte que aos 15 anos não é preciso mais chorar por um aconchego real. A substituição da mãe por um objeto "adulto" dá um aspecto de maturidade a essa óbvia repetição.**

A fusão romântica só pode ser vivenciada na imaginação, pois sua realidade ameaçaria de forma radical a individualidade. Esse aspecto é muito importante porque contém uma verdade. De fato, é muito difícil conciliar a fusão amorosa com uma vida que não seja recheada de concessões aos anseios de cada um. Para andarmos sempre juntos o tempo todo, de livre e espontânea vontade, seria necessário que sempre quiséssemos ir aos mesmos lugares e nas mesmas horas. Já afirmei que isso me parece impossível. **Em uma frase, podemos dizer que o medo do amor vir a se tornar um fato real é um medo legítimo porque ameaça mesmo anseios tão ou mais importan-**

tes e desejados. Aqueles que buscam dar um final feliz para as histórias do amor têm de encontrar uma saída sólida e consistente para esse dilema.

Outro fantasma ronda constantemente a questão sentimental: o medo de uma ruptura inesperada e indesejada (isso, é claro, no caso de os elos virem a se tornar reais, já que no imaginário o risco não existe). Sim, porque mesmo sem nenhuma experiência amorosa "adulta"[11] já sabemos perfeitamente quanto doem as rupturas. Todos temos algum registro do nascimento, ruptura primeira e mais dramática. Ao longo da infância, experimentamos rupturas temporárias em caso de viagem dos pais, divórcio entre eles e mesmo a morte de entes queridos (principalmente avós).

Sabemos que as dores derivadas da ruptura de elos sentimentais fazem parte do grupo das mais terríveis a que estaremos sujeitos ao longo da vida. Sabemos também que elas não são muito improváveis, já que todo elo é o embrião de uma ruptura! Em outras palavras, é preciso grande coragem para estabelecer um elo amoroso. Em determinadas circunstâncias, em decorrência dos critérios de escolha do parceiro, trata-se de uma ação quase irresponsável.

Nesse particular, nos anos da adolescência as pessoas já se dividem em dois grandes grupos: as que lidam mal com frustrações e contrariedades e as que toleram melhor as dores da alma. As que fazem parte do primeiro

11 Uso aspas sempre porque as repetições tão óbvias de vivências infantis ao longo da fase adulta deveriam ganhar um nome especial.

grupo — gritam e esperneiam quando a vida não anda de acordo com sua vontade — dificilmente terão coragem de se entregar a aventuras amorosas. Em geral, aprendem a usar o vocabulário romântico, condição na qual passarão a impressão de também estarem ousando; mas, na realidade, só se envolvem em situações sentimentais por vias muito transversas, que serão descritas um pouco mais adiante.

Os que toleram melhor os sofrimentos tenderão a agir de forma mais ousada e em algum momento tentarão encontrar uma solução real para o dilema, para a dualidade entre amor e individualidade. Aceitam correr os riscos de suportar as dores relacionadas com eventuais rupturas sentimentais. Cabe lembrar também que os adolescentes, quase sempre um tanto onipotentes, costumam minimizar e subestimar os riscos, pois acham que nada de grave acontecerá com eles; isso certamente reforça a coragem desse grupo para mergulhar nas águas do amor.

11 onze

Ao longo da infância, a sexualidade manifesta-se em certos momentos, quase sempre de forma menos importante. Há exceções relacionadas com experiências traumáticas que não cabe aqui comentar; há também casos em que sua expressão é muito mais exuberante do que o usual, chamando a atenção das outras crianças e dos adultos. Afora esses casos, surgem manifestações sempre essencialmente auto-eróticas: prazer exibicionista crescente a partir dos 6 ou 7 anos de idade e manipulação das zonas erógenas. Quando existe troca de carícias, ela parece ter o caráter de imitação daquilo que se observa no comportamento dos adultos. Essa troca provoca excitação, pois as regiões sensíveis recebem os estímulos tácteis necessários. Os parceiros são totalmente indiscriminados, do mesmo sexo ou do sexo oposto. São irrelevantes!

A troca de carícias provoca a excitação sexual, mas isso não significa que exista desejo. **Desejo é algo diferente de excitação e se manifestará de forma clara na puberdade. Excitação é "para dentro", ao passo que desejo é "para fora"; é uma vontade de agarrar. O desejo implica objeto — ou objetos. A excitação é indiferente aos obje-**

tos e pode acontecer em si mesma. O objeto do desejo pode ser relevante ou ser uma ou várias pessoas pouco importantes. Nesse aspecto, o desejo sexual é muito diferente do amor, em que o interesse é definido e único. O desejo amoroso é monogâmico, enquanto o desejo sexual é, via de regra, promíscuo.

Com o surgimento das manifestações sexuais adultas, o desejo desencadeado pelos estímulos visuais surpreende os moços, antes muito displicentes em relação às mulheres. A excitação provocada pelo forte desejo visual determina intensa atividade masturbatória. As moças se reconhecem como atraentes aos olhos masculinos e também elegem aqueles que lhes parecem mais interessantes[12].

Surgem as primeiras trocas de carícias adultas, com parceiros escolhidos de forma um pouco mais criteriosa; a aparência física se torna muito relevante, assim como outras propriedades relacionadas com a forma de ser de rapazes e moças. Essas intimidades, um tanto recatadas, são chamadas de "ficar" e correspondem a um fenômeno mais ou menos recente. No passado, as moças eram impedidas de qualquer contato físico antes de estarem namorando, enquanto os rapazes buscavam a iniciação sexual em prostíbulos ou, nas classes mais altas, com mulheres de condição inferior. **Hoje, as primeiras intimidades eróticas se dão entre rapazes e moças da mesma faixa etária e mesma condição sociocultural, o que constitui grande avanço. Ficar significa trocar ca-**

12 Há dúvidas acerca da existência de um genuíno desejo visual nas mulheres. Quanto a mim, penso que a maioria das mulheres não o tem.

rícias eróticas (limitadas) em locais públicos onde todos se estimulam e, ao mesmo tempo, todos fiscalizam e são fiscalizados.

Rapazes e moças ficam com colegas de escola e com parceiros das mesmas baladas. Pouco sabem um do outro, e o objetivo parece ser o de aprender a lidar com a própria sexualidade, além de desenvolver competência para abordagens de caráter sedutor. Os mais ousados são mais bem-sucedidos. Os mais extrovertidos, mais bonitos, mais "populares" ficam com inúmeros parceiros ao longo dos 13 até os 18 anos de idade (quando não até mais tarde). Os mais tímidos e recatados, as moças que se acham menos atraentes e os rapazes que são vistos como desprovidos das propriedades valorizadas pelo grupo de referência são os que sobram. Sentem-se inferiorizados e menos competentes nesses primeiros lances do jogo de sedução — que, com os anos, tende a se tornar mais ativo e agressivo.

É interessante registrar que os bem-sucedidos nas abordagens eróticas não costumam ser os mais prendados e de melhor caráter. Os rapazes mais ousados nas paqueras, assim como as moças mais exibidas, geralmente são do tipo egoísta, de modo que eles, pelo sucesso que alcançam, tornam-se objeto da inveja dos mais sérios e generosos. Não são os que se destacam pelo rendimento escolar e pelo comportamento exemplar aqueles que provocam o maior interesse nas trocas eróticas iniciais.

Aos poucos, o medo da intimidade física, presente especialmente nas moças, vai se esvaindo. Rapazes e moças "ficam", mas no dia seguinte é como se nada de relevante houvesse acontecido. Não costuma haver qualquer tipo de evolução nem quanto à intimidade física e muito menos quanto à intelectual (especialmente nos primeiros anos da adolescência). **O ficar não evolui para nada; fica parado onde está! Qualquer continuidade implicaria enorme risco de envolvimento amoroso real. Já sabemos que isso provoca pavor no início da vida adulta, em que o melhor lugar para o amor continua a ser o domínio da fantasia.**

doze

Quando, finalmente, lá pelos 15 ou 16 anos de idade, começa a surgir alguma coragem para o envolvimento amoroso na vida real, fenômenos curiosos — e, até certo ponto, inesperados — manifestam-se. Já registrei que desde os 5 ou 6 anos de idade existem escolhas, sendo que chamamos de amigos aqueles com quem nos damos melhor porque pensamos de forma parecida, porque rimos das mesmas coisas. Durante a puberdade e adolescência, os amigos assumem uma importância fundamental e são escolhidos segundo os mesmos critérios, aprimorados por força da crescente diferenciação na forma de ser de cada um.

Pois bem, os primeiros namorados não são escolhidos entre os amigos! Ao contrário: ao perguntarmos aos jovens por que não namoram com esse ou aquele amigo tão especial, ouvimos que eles "não tem nada a ver". É óbvio, aos meus olhos, que eles têm tudo a ver. Porém, eles dizem que não tem nada a ver porque não sentem atração física entre si.

Considerando que existem basicamente dois tipos de seres humanos, os que desequilibram a balança da justiça na direção da generosidade (dão mais do que recebem) e os que o fazem na direção do egoísmo (recebem mais do que dão), e se fosse fato que todos estivessem mais ou menos conciliados com seu modo de ser, o esperado seria que houvesse 50% de casais bem parecidos (25% de uniões entre egoístas e outro tanto de união entre generosos) e 50% de namoros entre opostos — isso segundo apenas esse aspecto da personalidade humana. A verdade não é essa; na prática, mais de 90% dos namoros acontecem entre opostos e uns poucos acontecem entre dois egoístas (que vivem às turras, sempre desconfiados um do outro). A ligação entre dois jovens mais generosos praticamente não existe, a não ser por um acaso total, quase por desatenção! (O interessante é que esse tipo de relação costuma evoluir de forma bastante favorável.)

Muitas são as razões para que seja esse o caminho seguido pelos envolvimentos afetivos. A única que não pode ser aventada para explicar o tipo de encantamento que surge é a falta de mira do Cupido. Tais envolvimentos acontecem com tamanha regularidade que exigem explicações além do simples acaso. São, pois, fortes as motivações que fazem que pessoas portadoras de grandes afinidades não se sintam atraídas sentimentalmente umas pelas outras.

A primeira e mais tradicional está ligada à pressão cultural, fundada na idéia de que a relação ideal é a complementar, ou seja, entre opostos (há uma tendência para a mudança desse discurso, ainda que lenta, ao longo dos últimos vinte anos). **Os jovens são familiari-**

zados com a união entre opostos em sua casa e na casa de parentes e amigos. Seus pais são, quase sempre, antagônicos: um deles é mais "estourado" — também chamado "de estopim curto" e "de gênio forte" —, intolerante, agressivo, egoísta; o outro é tolerante, paciente, dócil e mais generoso. Como são assim e aparentemente se amam, é claro que esse modelo influencia o modo de ser e de pensar dos filhos.

Além disso, soa como uma boa idéia essa de que nosso par tenha as propriedades que nos faltam (e vice-versa). O mais agressivo supriria a falta de coragem do mais dócil, enquanto este supriria a falta de habilidade política do estourado. O generoso sente muito prazer em dar e o egoísta precisa mesmo receber, de modo que parece que essa dupla, um côncavo e o outro convexo, se encaixa perfeitamente. Antecipo que, infelizmente, isso não é verdade, já que algumas emoções, especialmente a inveja recíproca — inevitável entre pessoas muito próximas e antagônicas —, impedem isso. O amor deriva da admiração. A inveja também!

O padrão cultural que louva a aliança entre opostos foi estabelecido em épocas anteriores, quando a luta pela sobrevivência era a principal motivação da vida em comum. A idéia de complemento fazia sentido, pois os casais assim constituídos ficavam mais fortes para enfrentar o hábitat adverso. Acontece que a vida prática mudou muito e, com ela, mudaram as motivações. Hoje, os casais estão juntos, mais do que tudo, para curtir a vida, para o convívio prazeroso e os projetos de vida mais voltados a atividades lúdicas. As diferenças passam a ser importante fator de irritação, ao passo que as afinidades se tornaram muito mais interessantes. A crença tradicional tem de ser revista e substituída por idéias mais adequadas à nossa nova circunstância.

13 treze

É muito raro encontrarmos adolescentes portadores de boa auto-estima. Auto-estima, sabemos, não tem que ver com amor por si mesmo, e sim com o julgamento, a nota que cada um atribui a si próprio. Os itens que entram nessa avaliação são típicos de cada fase da vida, e no caso dos adolescentes a aparência física e a popularidade — sucesso entre os colegas — são os que têm maior peso. Competência esportiva também conta bastante, assim como sucesso com o sexo oposto. As chamadas virtudes de caráter contam pouco, assim como a disciplina, sendo que a dedicação aos estudos pode até mesmo contar pontos negativos. Inteligência conta mais ou menos, certamente menos do que senso de humor e capacidade de entreter.

A adolescência corresponde a uma fase que favorece, pois, os mais extrovertidos e os que fazem boa propaganda de si mesmos. Os mais exibicionistas, mais ousados nas iniciativas de abordagem erótica, e as moças que sabem como provocar os rapazes costumam levar enorme vantagem sobre os mais tímidos, discretos, não-invasivos e que temem tomar iniciativas por medo da dor da rejeição.

A maior parte dos egoístas se enquadra no primeiro grupo (o dos mais populares), enquanto os generosos se encaixam no segundo. Os primeiros se dão melhor, e não é raro que, nos primeiros anos da vida adulta, façam um juízo positivo de si mesmos. Essa avaliação se perturba diante dos primeiros revezes, uma vez que lidam muito mal com as dores da vida. Sofrem muito ao serem rejeitados por alguém que desejavam, por não serem tão competentes em certas práticas esportivas e principalmente por não serem tão bonitos e atraentes quanto gostariam.

Estão sempre muito empenhados em demonstrar que estão muito bem consigo mesmos, mas por dentro padecem quando têm de enfrentar algum sofrimento, sempre inconformados com suas limitações. A forma como lidam com os fracassos os leva a acusar terceiros, jamais se responsabilizando pelos erros cometidos. Ficam furiosos se não vêm de uma família que tenha boa condição financeira, acusam seus pais e reivindicam aquilo a que não têm direito. São muito estourados em casa e se mostram muito felizes quando estão com os colegas. Não sabem ficar sozinhos e têm pouca concentração em atividades individuais — leitura, estudo, pesquisas no computador etc. Com o passar dos anos, reconhecem claramente suas limitações.

Os mais tímidos não têm nenhuma dúvida de que são os perdedores, uma vez que não possuem o traquejo social necessário, não se acham bonitos e muito menos atraentes sexualmente. São discretos e acabam se voltando para uma vida mais reservada; ficam mais tempo em casa; têm poucos e bons amigos (que estão em situação semelhante à deles). Não fazem esforço algum para se mostrar como vencedores, pois não se consideram em condições de convencer as pessoas de tamanha mentira. Quando são bem dotados intelectualmente e disciplinados, apegam-se aos estudos e tentam se destacar nessa área, apesar de saberem que esse tipo de sucesso não é muito valorizado. É o que podem fazer.

Apostam mais no futuro, sonham com uma carreira de sucesso e pensam que, por aí, talvez um dia consigam reverter sua condição desfavorável. Costumam ser persistentes, determinados e mais tolerantes a contrariedades. São dóceis, sonhadores, românticos (em parte porque não se vêem como competentes para o jogo erótico). Aceitam razoavelmente bem um presente ruim em favor de um futuro melhor, ao contrário dos mais egoístas, que costumam ser imediatistas.

Conclusão: nenhum dos dois subgrupos está contente com seu jeito de ser. Os egoístas, quando muito bonitos, podem até estar melhor consigo mesmos do que a média dos adolescentes; nesses casos, podem se encantar por outros egoístas igualmente satisfeitos com sua forma de agir. Constroem relacionamentos muito tensos e em que o ciúme é enorme, provocando brigas terríveis que determinam rápida deterioração do relacionamento. Os generosos definitivamente não se aceitam, visto que seus resultados sociais são precários; quando formam par com outro generoso é por

força de alguma fatalidade, como o fato de, em um grupo, terem sobrado apenas os dois — que, por falta de opção, aproximam-se.

A grande maioria dos rapazes e moças tenderá a se fascinar por seus opostos, já que a admiração e o senso prático são as forças motrizes do encantamento. Se não estão satisfeitos e orgulhosos com seu modo de ser, buscarão a aproximação com aqueles que são como gostariam de ser. Os generosos buscam parceiros extrovertidos e atirados. Os egoístas buscam os confiáveis, persistentes e que lhes transmitirão mais confiança e segurança. É da essência do egoísta o desejo (ou a necessidade) de se sentir amado de uma forma que lhe dê segurança. Isso acontece mais facilmente quando o parceiro é generoso, mesmo em situações em que ele não desperte grande admiração. O egoísta é mais pragmático, enquanto o generoso é mais romântico.

catorze

As razões anteriormente apontadas têm grande influência sobre o fato de os primeiros relacionamentos afetivos acontecerem entre opostos. A elas se unem outros motivos, talvez ainda mais relevantes. Um deles é o medo do amor, o mesmo medo que faz que o encantamento amoroso se dê na fantasia ao longo dos anos anteriores. **O medo se atenua a ponto de permitir um encontro real, mas não desaparece. Isso significa que a intensidade do relacionamento não pode ser total.** Já sabemos que o pleno encaixe sentimental determinaria enorme ameaça à individualidade — que ainda está em formação ao longo da mocidade.

O medo do amor acontece sempre que a individualidade fica em risco. Nessa fase da vida, ela já se sente menos ameaçada, mas não a ponto de suportar qualquer intensidade sentimental. Os egoístas são os que têm mais medo do envolvimento, pois ainda por cima não crêem ter forças para suportar as dores relacionadas com uma eventual ruptura. Por causa disso, posicionam-se de forma curiosa, bem ao gosto de sua personalidade: aceitam ser objeto do amor mais do que efetivamente amar. Pretendem receber todos os benefícios que os que amam dedicam ao amado. Querem ser a "musa" (mesmo que se trate de homens) que recebe os agrados e as belas palavras ditas pelo "poeta".

Os generosos aparentemente têm mais coragem de se entregar à emoção do amor, uma vez que, por tolerarem melhor eventuais sofrimentos, não fogem do risco de ruptura embutido em qualquer elo. Além disso, são muito mais competentes para dar do que para receber; sentem-se envaidecidos e superiores por serem assim. Especialmente na mocidade, padecem de baixa auto-estima e são fascinados pela extroversão e pelo sucesso social dos mais egoístas. É fácil compreender que se encantem por eles e os elejam como o objeto do seu amor. Os egoístas recebem com facilidade, e isso está em plena concordância com suas aspirações. Dão muito pouco, o que interessa ainda mais!

O generoso ama e é dedicado. O egoísta é amado e recebe as prendas que lhe são oferecidas. Parece um arranjo ótimo: um tem tudo aquilo que falta ao outro — além do fato de esse tipo de união estar em sintonia com nossas crenças culturais. Sentimo-nos incompletos em nós mesmos, como se fôssemos uma metade; completamo-nos ao nos "fundir" à outra metade. A fusão complementar convém, pois, a todos.

Vamos refletir um pouco mais a respeito da coragem de amar que se manifesta nos mais generosos. Na verdade, eles amam sem ser amados! Amam alguém que recebe seus favores mas não retribui à altura. Por vezes penso que isso está mais próximo do

amor em fantasia (que corresponde à fase anterior) do que da construção de um relacionamento efetivo. Tudo se passa como se o generoso estivesse sonhando com uma história de amor que não está acontecendo. Ela é vivida de forma unilateral. Sim, porque o egoísta participa do relacionamento com o intuito de se beneficiar das oferendas, para receber os agrados. Ambos vivenciam circunstâncias totalmente diferentes. O generoso vive uma história de amor, ao passo que o egoísta recebe os benefícios sem estar muito interessado em ser leal, dedicado ou mesmo sincero. Está sempre reivindicando mais atenções e não raramente dá sinais de ciúme — entendido, falsamente, como prova de amor, quando na realidade indica medo de perder seus benefícios. Ambos podem praticar um discurso amoroso similar, mas a prática e a vivência íntimas são incrivelmente diferentes.

Se essas considerações forem verdadeiras, então o generoso também não tem a coragem para a fusão romântica que diz querer e com que tanto sonha. Reclama do descaso e das grosserias do egoísta, mas se serve delas — se elas deixassem de existir, ele provavelmente se afastaria. Coloca-se como aquele que pretende a fusão e lamenta que ela não aconteça por força das limitações do egoísta, mas não altera sua conduta generosa (que reforça o egoísmo do parceiro) por nada no mundo. Sonha com o amor pleno e vive uma relação pela metade: as qualidades do egoísta provocam atração e fascínio, enquanto suas limitações e seus defeitos determinam o distanciamento que impede a plenitude. Pode se comportar como uma pessoa frustrada, mas trata-se de uma manifestação típica de esperteza. Considera-se pronto para o amor e transfere todo o problema — inclusive suas limitações emocionais — para o parceiro[13].

13 Foram reflexões desse tipo que provocaram em mim dúvidas crescentes acerca do valor moral e da consistência da generosidade.

15 quinze

Como se os motivos já apontados não fossem suficientes, há ainda mais um — e bem relevante — que impulsiona o encantamento amoroso na direção da busca de um parceiro antagônico. Trata-se do desejo sexual. Os generosos sentem-se fortemente atraídos pelos mais egoístas. Não creio que a recíproca seja verdadeira. Ou seja, os egoístas também sentem atração pelos mais egoístas! Isso explica o fato, que já registrei, de existirem alianças — que, do ponto de vista erótico, são muito bem-sucedidas — entre egoístas ao longo dos primeiros tempos da vida adulta. Os mais generosos não se sentem sexualmente atraídos por quem é como eles, sendo que os egoístas também não são despertados pelos generosos. A questão é extremamente complexa e ainda precisa ser mais bem esclarecida; não será objeto de aprofundamento aqui. Porém, como já registrei que os mais propensos ao envolvimento amoroso são os generosos, a iniciativa, apesar de tudo, será deles. **Só se encantam pelos mais egoístas: rapazes bonzinhos acham graça em moças mais exibicionistas (e até mesmo com alguma pitada de vulgaridade); moças ótimas se sentem fascinadas pelos mais cafajestes.**

Os egoístas, talvez depois de alguma experiência dolorosa com parceiros parecidos, reconhecem que os que lhe são afins não são muito confiáveis e passam a aceitar propostas sentimentais dos generosos, ainda que isso não lhes desperte um clima erótico muito intenso. Aceitam ser amados e acatam com muito prazer o papel de objeto do desejo de seus parceiros. Ficam envaidecidos, e isso corresponde a um tipo de prazer erótico. Além do mais, sentem-se bem mais seguros e portadores de um imenso poder sobre seus parceiros – o que, para eles, é sempre muito bom.

Não deixa de ser intrigante constatar que a sensualidade — conhecida como *sex appeal* — tem fortes relações com o modo de ser dos mais egoístas. Não podemos, é claro, subestimar quanto isso pode reforçar esse tipo de comportamento. O que eles têm que os leva a ser assim atraentes? Será a aparente ousadia e o exibicionismo mais livre? Pode ser que isso influa, mas penso que há mais ingredientes a ser acrescentados à reflexão. Os egoístas são menos rigorosos do ponto de vista moral, de modo que não determinam em seus interlocutores a preocupação de estar sendo avaliados segundo um código de valores: apesar de serem muito reivindicadores e cheios de reclamações, na verdade não são críticos em relação aos costumes; só criticam mesmo aqueles que não fazem suas vontades!

Os egoístas são mais imediatistas e vivem para o presente. Estão — ou parecem estar — mais para cigarras do que para formigas. Essa postura receptiva a todo tipo de prazer — e já — parece despertar nos interlocutores a idéia de que são pessoas muito competentes para as delícias do erotismo, mais livres de normas e preconceitos. Se não é bem assim que se comportam na vida real, é fato que transmitem essa imagem.

Graças ao jeito mais extrovertido e voltado para si, assumem uma postura de pessoas mais independentes e individualistas, o que também parece despertar o erotismo dos observadores. Dão a impressão de ser criaturas que não se envolvem emocionalmente e não pretenderão nenhum tipo de continuidade do relacionamento — o que alivia o medo do amor e libera a sensualidade.

Essas são apenas algumas considerações a respeito de um fato que venho tentando entender melhor há décadas. Penso que os mistérios do sexo são mais difíceis de ser desvendados do que os do amor. Quanto a estes últimos, espero conseguir decodificá-los todos ao longo das páginas seguintes.

dezesseis

Os primeiros namoros estáveis e duradouros costumam acontecer, pois, entre uma pessoa mais generosa e outra mais egoísta. O gênero não influi em nada, de modo que o generoso pode ser o homem ou a mulher e vice-versa. O generoso dá, digamos, 10 e recebe 5. O egoísta recebe 10 e dá 5. A impressão é a de que está tudo muito bem encaixado e, por um bom tempo, o convívio anda bem, já que ambos estão recebendo aquilo por que anseiam. Existem graus, de modo que pode haver relacionamentos em que o generoso dá 10 e recebe 1 e o egoísta dá 1 e recebe 10. Há, assim, pequenos, médios e grandes egoístas e generosos. Via de regra, as relações mais estáveis se dão entre egoístas e generosos do mesmo "tamanho", de modo que se pode inferir muita coisa acerca de uma pessoa pelo parceiro amoroso que ela escolheu. Algo como **"diga-me a quem amas e te direi quem és"**!

Quando as distâncias do ponto de equilíbrio são pequenas, ou seja, numa aliança entre um "egoistinha" e um "generosinho", pode haver efetiva e longa estabilidade na relação. O egoísta é fácil de ser reconhecido: é sempre o que mais reclama. O pequeno egoísta reclama

pouco e, como regra, está satisfeito com o que recebe. É um pouco mais estourado, porém sua intolerância a contrariedades não é radical. Está razoavelmente bem consigo mesmo e não se acha muito pior que o parceiro, uma vez que, em seus termos, também é dedicado a ele. O mesmo vale para o pequeno generoso, satisfeito com a dimensão do desequilíbrio que não só não o importuna como pode envaidecê-lo. É generoso, mas tem alguma competência para reivindicar e é atendido em suas principais pretensões.

Os problemas são bem maiores quando ambos estão mais longe do ponto de equilíbrio — situação, infelizmente, mais comum. Surgem com força as manifestações hostis próprias da inveja. Invejamos aquilo que valorizamos e não temos. O egoísta inveja a doçura, a tolerância e a capacidade de dar do generoso. Ao mesmo tempo que se beneficia da dedicação deste e quer sempre mais, sente-se humilhado, diminuído e por baixo; precisa receber e, no fundo, gostaria mesmo é de ser auto-suficiente.

A inveja corresponde a uma reação agressiva desencadeada por uma ação entendida como também agressiva, apesar de invisível numa análise inicial. Afinal de contas, o generoso se posiciona como aquele que "só quer ajudar"; esse é o discurso oficial. Na verdade, o generoso sabe muito bem que, ao dar, coloca-se em posição de superioridade e está humilhando o parceiro. A prova disso está na maneira como ele reage quando recebe: detesta a situação, sente-se constrangido e humilhado. Ao dar demais sabe que está provocando forte dor no egoísta — que, por precisar, não pode recusar a oferenda.

A manifestação agressiva do generoso — usando a dedicação como arma — é movida por que tipo de impulso? A inveja, mais uma vez presente. Pode parecer paradoxal aos que consideram a generosidade uma virtude, um estado muito superior ao do egoísmo, tratado como grande defeito[14]. A realidade é que o generoso inveja a capacidade do egoísta de usufruir dos deleites da vida material, sua capacidade de atribuir-se tantos direitos, seu imediatismo e sua aparente despreocupação com a vida e o futuro. Inveja sobretudo o poder sensual dos egoístas e a facilidade com que circulam socialmente.

O generoso não é capaz de agredir diretamente. Não sabe fazer isso, assim como não sabe dizer "não" mesmo quando essa é sua vontade. É freado pelos sentimentos de culpa. Sente culpa até mesmo quando não é o efetivo causador dos danos que são objeto da queixa dos egoístas. O egoísta impõe e agride diretamente, até porque não tem controle sobre seus impulsos, especialmente os agressivos. O generoso humilha mais ao ser cada vez mais generoso, movido pela falsa idéia de que finalmente conseguirá seduzir e "domesticar" o egoísta. Na verdade, a generosidade crescente tem um objetivo agressivo e maldoso, humilhando e enfraquecendo progressivamente aquele que agride. **Um dos parceiros agride fron-**

14 Não é esse meu ponto de vista, minuciosamente detalhado em *O mal, o bem e mais além* (MG Editores, 2005).

tal e diretamente. O outro, de forma sutil e, supostamente, praticando o bem — burlando, assim, seus medos e sentimentos de culpa.

O relacionamento é, pois, violento, e nele, com o passar dos anos, as diferenças se radicalizam. A interdependência é grande porque cada um se beneficia das propriedades do outro. O generoso serve-se da agressividade e da ambição imediatista do egoísta; este beneficia-se da tolerância e dedicação do parceiro. Esse tipo de relacionamento costuma durar o suficiente para desembocar em casamento; compõe-se uma "aliança diabólica" na qual todos perdem. Não é um relacionamento evolutivo, pois não existem grandes avanços emocionais. O jeito de ser de cada um só se acentua com o passar do tempo.

17 dezessete

Nos casos em que o egoísta é o homem, a relação costuma ser mais pacata e estável do que nos casos em que o egoísta é a mulher. Isso se deve, em primeiro lugar, à nossa formação cultural machista (ainda em processo de transformação), que dá aos homens certos privilégios. O desequilíbrio da balança dos direitos na direção masculina tinha que ver, entre outras razões, com o fato de o homem ser o provedor. Mas mesmo deixando de ser o único a trazer dinheiro para dentro de casa, ele continua sendo favorecido; por exemplo, pode chegar mais tarde em casa sem que isso seja tratado como grave ofensa; a recíproca não é verdadeira.

Homens mais egoístas costumam ir aos bares beber com os amigos nos fins de tarde, praticam esportes durante os fins de semana mesmo sabendo que as esposas estão em casa cheias de obrigações domésticas e com os filhos. Não aceitariam comportamentos equivalentes por parte delas; são ciumentos e jamais acatariam as limitações que impõem a elas. Valem-se do fato de que ainda costumam ser os que contribuem com a maior parcela da renda para justificar privilégios duvidosos. As esposas, generosas (que dão mais do

que recebem), aceitam bem as diferenças que os favorecem. Para exercer a generosidade, costumam gostar da renúncia em favor deles.

Pessoas mais egoístas costumam ser mais invejosas. Na situação que estamos descrevendo, os homens raramente desenvolvem forte inveja das esposas, pois compensam a admiração provocada pela dedicação delas à família com o fato de se sentirem superiores profissional e financeiramente. Assim, esse importante ingrediente gerador de brigas fúteis não costuma estar tão presente. As mulheres mais generosas costumam ser menos invejosas e competitivas, de modo que não se revoltam contra a arbitrariedade na qual estão mergulhadas.

Vez por outra esses maridos são pegos em mentiras, tanto as que envolvem possibilidades eróticas com outras mulheres como as relacionadas com trabalho, dinheiro, amigos etc. As pessoas que toleram mal frustrações e contrariedades são menos confiáveis porque não têm competência para "domesticar" todos os seus desejos e impulsos, posto que qualquer renúncia gera frustração. **Nem sempre controlam um forte impulso sexual. Por não domarem a agressividade, podem se envolver em brigas de trânsito e em conflitos desnecessários no trabalho e ter prejuízos respeitáveis nessa área; nem sempre compartilham seus reveses com as esposas.**

A baixa confiabilidade do marido pode vir a ser um fator relevante no desequilíbrio desse tipo de relação. As esposas, tolerantes e dóceis, podem ir, aos poucos, perdendo a admiração por seus maridos. Para muitas, aparece como se eles tivessem passado do ponto e abusado da dedicação delas. Isso por vezes tarda a acontecer justamente porque elas tendem a relevar tudo. Porém, a repetição das mentiras, o acúmulo de grosserias que acontecem quando contrariados dentro de casa e o caráter explosivo (por força do qual ofendem muito por alguns minutos e depois agem como se nada houvesse acontecido) vão minando a boa disposição das esposas. Os caipiras costumam dizer que "quem bate esquece, quem apanha não esquece assim fácil".

A perda da admiração por aquele homem exuberante, extrovertido, viril e bom parceiro sexual costuma se manifestar exatamente nessa área. A mulher generosa, que se dá também sexualmente, passa a ter uma vontade decrescente de trocar intimidades eróticas. É como se, pela primeira vez e de forma radical, estivesse dizendo NÃO ao marido. A revolta não se manifesta por meio de palavras, mas sim pelo corpo: o orgasmo se torna raro e a má vontade para o sexo, antes incomum, passa a ser regular.

Em síntese, esses casamentos são aparentemente harmônicos. Neles reina a fraqueza masculina, representada pela baixa tolerância a contrariedades (pessoa de "gênio forte" que estoura por pouca coisa), e a fraqueza feminina, representada pelo sentimento de culpa que torna a mulher incapaz de defender seus legítimos direitos. A harmonia se quebra quando ela, cansada das humilhações até então bem toleradas, dá sinais de insatisfação. Esses sinais aparecem, em primeiro lugar, na área da sexualidade, determinando o fim de uma parceria erótica até então muito bem-sucedida.

18 dezoito

Os casais em que o generoso é o homem vivem uma problemática peculiar, diferente da descrita anteriormente. Ela costuma ser uma pessoa particularmente atraente, ao menos aos olhos dele. A mulher mais egoísta sabe que boa parte do fascínio dele deriva disso, de modo que é muito cuidadosa com a aparência. O usual é que se comporte de forma um tanto provocante e exibicionista. A mulher egoísta costuma ser sociável e adora despertar o desejo de todos os homens. Isso reforça, e muito, usuais inseguranças e ciúmes do parceiro. Ele costuma sentir orgulho por estar ao lado de uma mulher assim cobiçada e insinuante. Vê a si próprio como um privilegiado — além de enciumado.

A mulher egoísta é muito reivindicadora de atenções, exigindo sempre mais e mais. **O homem generoso se empenha enormemente para satisfazer todos os seus caprichos, tanto os de ordem material como os relacionados com sua presença e forma de agir para com ela. Espera um dia ser elogiado, ouvir dela que está orgulhosa dele e plenamente satisfeita com sua conduta.** Nesse dia, ela se desarmaria e daria os sinais de que o ama da mesma forma que ele. Ele seria plenamente correspondido. E vive por conta dessa esperança que quase nunca se concretiza.

O homem egoísta experimenta uma situação bem mais fácil do que o generoso (mesmo se estivesse casado com uma mulher igualmente egoísta), porque é menos caseiro e está cheio de amigos. Já vimos que quase não presta atenção na mulher, usualmente pouco reivindicadora. O homem generoso é tipicamente aquele que vai de casa para o trabalho e vice-versa. Trabalha muito porque gosta, mas também porque acredita que isso aumentará suas chances de ser admirado e valorizado pela esposa. Quando se atrasa é recebido com cara feia e gritos, justamente quando esperava compreensão e cuidados próprios de quem chegou da "guerra". Sonha com o dia em que sua casa será o local do "repouso do guerreiro". Espera agrados e recebe o inverso.

A mulher egoísta é a mais exibicionista. Via de regra, é também a mais ciumenta — apesar de ser casada com um homem mais confiável. Acredita que os homens são muito sensíveis ao poder sensual feminino, o que é verdade: afinal de contas, sabe que isso contou muito para que seu parceiro a tenha escolhido. Considera o marido um tanto ingênuo, de modo que poderá ser vítima da manipulação erótica de outras mulheres — assim como ela o faz. Teme que seu homem seja presa fácil de alguma "vigarista". Nesse aspecto, cuida dele como se fosse uma preciosidade. Na intimidade, acontece o oposto: dá a ele o tratamento próprio dos homens mais desinteressantes, fato que atiça o desejo dele de se mostrar cada vez melhor e mais hábil, mais e mais dedicado a agradá-la com o intuito de reverter a imagem negativa que ela finge ter dele.

O marido generoso chega em casa cheio de fantasias românticas. Parece que esqueceu que ontem ela estava de cara feia. Quem sabe hoje será diferente (é fato que, na intimidade, essas pessoas são imprevisíveis) e ele seja bem recebido? Quem sabe hoje acontecerá aquela noitada erótica que ele tanto deseja e que tão raramente ocorre? Sim, porque a mulher egoísta provoca muito, mas não se dá! Atiça o desejo e depois se nega ao ato, provocando nele frustração, humilhação e rejeição. Ele supõe que isso poderá mudar com uma atitude ainda mais positiva, sendo mais amoroso, mais competente, mais bem-sucedido. Qual o quê! Quanto mais se esforça, menos tem sucesso. **A vida sexual corresponde a uma contínua frustração. Ela sabe disso e teme cada vez mais que outra mulher venha a cooptá-lo; cresce ainda mais o ciúme. As contradições são enormes e intrigam o marido generoso, que não sabe como decodificar todos esses sinais.**

Ela quase sempre o rejeita (de vez em quando faz a "cortesia" de aceitar sua investida), ao mesmo tempo que morre de medo de que alguma aventureira venha a suprir seus anseios. Trata-o como se ele não valesse grande coisa e ao mesmo tempo não quer perdê-lo por nada. Ameaça-o, sempre que necessário, com a separação. Ele treme de medo e ela se reassegura de que isso não está nos seus planos. Um dia ele se cansa e fala em separação. Ela se humilha e suplica para que ele reconsidere. Ela se comporta melhor por alguns dias e depois tudo volta ao "normal".

Ele a ama e a admira por suas características aparentemente mais ousadas e, principalmente, por seus dotes físicos e poderes sensuais. Ela o admira pela determinação, persistência e disciplina que ela não tem. Admira sua generosidade e capacidade de amar. Admira e inveja. **A inveja, nesse caso, é a chave que explica quase tudo: ela tenta destruir a auto-estima dele — principalmente em sua virilidade — para que ele não lhe escape; age de forma agressiva por conta da raiva e do desejo de retaliação que a inveja determina.**

Um dia ele percebe que a inveja só cresce em função de sua dedicação; sentindo-se mais forte, trata de iniciar um processo de reversão: tenta recolocar a si mesmo e a ela nos devidos papéis. Se não tiver mais tanto interesse ou não tiver sucesso nessa empreitada, pode decidir partir para outra aventura amorosa — para desgosto e desespero dela.

dezenove

Os mais egoístas tendem a repetir com regularidade o mesmo padrão de escolha. Isso é lógico, porque a intenção é a de continuar a obter benefícios em um relacionamento em que levam vantagem. Um homem egoísta, ao separar-se, buscará uma nova parceira generosa, que, por um bom período de tempo, será dedicada a ele. Talvez depois ela venha a se cansar e prefira romper a relação. Ele buscará parceiras cada vez mais jovens, talvez mais ingênuas e inexperientes, além de mais atraentes fisicamente. Elas costumam se fascinar pelo discurso autopromocional no qual é mestre.

A mulher egoísta também procurará outro parceiro fixo do tipo generoso. Eles são mais dóceis, mais leais e, ao menos por um tempo, mais facilmente manipuláveis. O problema sexual tenderá a se repetir: falta de vontade e incapacidade de se dar a um homem bom, admirado e invejado. Não sendo uma pessoa muito confiável, caso seus anseios eróticos sejam intensos encontrarão uma forma de se satisfazer em um relacionamento triangular, no qual o amante será um pouco mais egoísta do que ela. Ela viverá o papel da generosa nessa relação paralela — que só existe na presença e vigência da primeira —, e nessa condição se doará sexualmente de uma forma totalmente impossível na intimidade com o generoso. Sim, porque aqui não existe a **inveja inibidora da vontade de agradar.**

Por vezes tenho dificuldade de entender a tendência à repetição de escolhas inadequadas por parte de homens e mulheres generosos. Eles sofreram tanto no passado e ainda assim agem como se não tivessem aprendido nada! Continuam sexualmente fascinados por personagens exibicionistas e pouco confiáveis; e continuam a nortear suas escolhas por esse aspecto. A mulher generosa ainda terá no egoísta um bom parceiro sexual. Mas e o homem bom, sempre humilhado e rejeitado? Por que ele se deixa envolver outra vez pelo mesmo tipo de mulher?

Penso que é necessário irmos atrás de outras motivações além do indiscutível fascínio erótico que os egoístas despertam nos generosos — e em seus pares. Nunca deveríamos nos contentar com o encontro de uma única explicação para dado comportamento. A maior parte das nossas condutas persistentes é norteada por múltiplas causas. Penso que a suposta ingenuidade embutida na hipótese de que talvez esse novo parceiro venha a se modificar com o tempo e de que o relacionamento ganhará a riqueza sonhada encobre, na verdade, uma imaturidade emocional que leva o generoso a querer amar sem ser correspondido. Ele quer se sentir pleno de amor e conviver com o sonho de ter um parceiro legal, que foi escolhido exatamente por ser do jeito que é.

Em outras palavras, o generoso que se fascina por egoístas está num estágio de evolução no qual quer mesmo isso; não tem a ingenuidade que aparenta ter. Não está pronto para nada mais que isso no que se refere à intimidade sentimental.

Outra razão está ligada à vaidade. Aquele que dá mais do que recebe está validado pelo código de ética da nossa cultura e pode se sentir superior ao que recebe seus favores. Gosta de se sentir o bom, o forte, o rico, o desprendido, o que abre mão de tudo que lhe pertence para agradar ou beneficiar o amado — e também outras pessoas. Há um sentimento heróico na renúncia aos prazeres, e isso gera um enorme prazer nessa renúncia. Encobre eventuais medos de rejeição e sentimentos de culpa, que impelem o generoso a desequilibrar a balança a favor do outro e transforma suas fraquezas em força. De certa forma, aquele que dá sabe que sua generosidade constrange e humilha o que recebe, de modo que, por essa via "digna", ele ainda por cima se vinga das hostilidades recebidas.

Além de se abastecer de uma boa dose de orgulho íntimo, derivado de ser capaz de tanta renúncia e de dar aquilo que o outro tanto quer — e não é capaz de obter por meios próprios —, fecha as portas para qualquer eventual retribuição, o que provoca grande mal-estar no beneficiário. Isso reforça a dependência do parceiro egoísta e atenua as inseguranças e o medo de abandono que porventura exista no generoso. Enfraquecer o parceiro é parte da estratégia de tê-lo em suas mãos — ainda que superficialmente ele se mostre totalmente dominado e manipulado pelo parceiro egoísta.

O jogo de interesses e de poder entre esses dois personagens é bem pesado. Se a rota de minha reflexão está correta, não há como não pensar na generosidade como uma arbitrariedade moral tão atroz quanto o egoísmo. Estabelece-se entre eles o que tenho chamado de "trama", em que reina a maldade, explícita ou disfarçada. A felicidade sentimental não passa por aí.

vinte

Nos dias de hoje, é cada vez menos comum que o relacionamento entre opostos dure "até que a morte os separe". (No passado era essa a regra, pois a idéia de um parceiro complementar o outro era valorizada e os que se separavam eram punidos com grande rejeição social.) As rupturas, geralmente desencadeadas pelo mais generoso, acontecem em algum momento do namoro, noivado ou casamento. Os egoístas só costumam tomar a iniciativa de romper a relação quando muito moços, na fase em que acham que estão em melhores condições que seus parceiros e podem encontrar outros melhores. Alguns rompem relacionamentos por estarem muito seduzidos pelas delícias da vida de solteiro, para a qual são mesmo muito aptos. Raramente o fazem depois de ter estabelecido elos mais fortes de dependência prática.

Os generosos tomam a iniciativa de romper o elo conjugal em três circunstâncias: quando o convívio se torna insuportável; quando se envolvem sentimentalmente com outra pessoa; ou naqueles raros casos em que se sentem preparados para ficar sozinhos — ainda que a vida em comum não esteja tão desastrosa. Em qualquer dos casos, o sofrimento é muito grande, posto que a ruptura de elos sempre nos remete à ruptura original — a do nascer.

Mesmo quando existe outro relacionamento amoroso em vista, o homem generoso que se divorcia (é claro que tudo é mais fácil quando ainda não estão casados) sente-se muito mal por se afastar dos filhos e do cotidiano doméstico. A situação é ainda pior quando ele decide viver sozinho, pois não é muito competente para a típica vida dos solteiros: não costuma ser afeito a badalações, a convívio múltiplo e superficial e muito menos a paqueras eróticas despretensiosas e sem continuidade. Além de não se sentir bem nesse tipo de atividade, não costuma ser bem-sucedido nele, já que os egoístas têm um jeito de ser que os faz mais atraentes.

Aquele que toma a iniciativa da separação costuma ser o que sofre menos, ao menos na fase inicial. Ele sentirá falta do aconchego; poderá sentir-se desamparado, perdido. Porém, não passará pela terrível dor da rejeição que tanto ofende a vaidade, nem se sentirá preterido. Essa é uma dor terrível para qualquer pessoa, particularmente para os egoístas, que lidam muito mal com contrariedades e frustrações. Tentam evitar a dor — e também o desprestígio público relacionado com o ato de serem trocados — e para isso não poupam ameaças, tanto as de caráter agressivo como as de autoflagelação. Agem com violência ou fazem chantagens sentimentais. É nessas horas que mostram toda sua fraqueza e sua verdadeira forma de ser e agir.

Se o parceiro generoso não estiver muito forte e convicto, tenderá a ceder às pressões, tanto por culpa como por pena. É por isso que ele só costuma se separar quando está encantado por alguém; aí o sentimento amoroso por outra pessoa acaba provocando o desequilíbrio da balança a favor da ruptura. É muito raro que tenha uma convicção tão forte e uma auto-estima suficientemente bem construída para ser capaz de resistir a todas as pressões com o objetivo de ficar sozinho. Em ambos os casos, o generoso ficará solteiro por algum tempo e terá de enfrentar longas horas de solidão em contextos para os quais não está treinado. No caso dos homens, poucos sabem ficar em casa sozinhos. As mulheres se dão muito melhor nesse quesito, de modo que não é raro ser delas a iniciativa de separação com o intuito de ficar sozinhas. Elas preferem a solidão também porque a vida conjugal desagradável as prejudica mais, já que muitos homens frustrados nesse campo transferem o foco para o trabalho.

Há outro fator que as favorece: nas separações, elas costumam ficar com a casa e os filhos. Mesmo as mulheres mais generosas não renunciam facilmente a esses direitos. Só o fazem em situações extremas, que não cabe aqui detalhar. Os homens generosos deixam com mais facilidade a maior parte do patrimônio, bem como a casa e a guarda dos filhos, para suas parceiras egoístas. Acreditam que perdem certos direitos por terem tomado a iniciativa da separação e, mais uma vez, aceitam uma partição desigual — que combina muito bem com seu perfil! Mulheres generosas cedem mais, porém não no que diz respeito à casa e aos filhos, de modo que sofrem um pouco menos, especialmente nos primeiros tempos.

21 vinte e um

Tanto generosos quanto egoístas de repente se vêem sozinhos. Digo que isso é inesperado porque, até hoje, as pessoas pensam na vida conjugal como algo sólido e resistente a qualquer desgaste. O choque é máximo nos casamentos que envolvem filhos. Porém, mesmo na ruptura de namoros e casamentos de pouca duração — e sem filhos —, o sofrimento é grande. Intelectualmente sabemos que as relações amorosas são transitórias, mas as vivemos como se fossem eternas. A ruptura, mesmo quando desejada, é mais um *big bang*. Como já registrei, a dor é máxima para o que foi rejeitado. A ruptura traz de volta a sensação de desamparo.

Uma atmosfera de estranheza, relacionada com a perda de determinados hábitos, rotinas e até mesmo do convívio tenso e conflitivo, é a vivência básica dos primeiros tempos em que se está sozinho. Aparece um "buraco" no estômago — em verdade, ele reaparece, uma vez que estava atenuado pelo vínculo afetivo. Desamparo e, freqüentemente, rejeição correspondem a uma dor forte até mesmo para os que a toleram bem. Assim, a palavra solidão fica associada, indevidamente, a esse sofrimento.

Quando pensamos em solidão como uma situação horrível, sempre evocamos essas sensações iniciais, um tipo de luto relacionado com a morte de um elo que se pretendia eterno. O equívoco é muito relevante, pois é atribuído um valor muito negativo e definitivo a uma situação transitória que durará algumas semanas.

Ou seja, a dor assim forte só se manifesta durante a transição que acontece quando o membro de um elo se afasta e volta a ser uma pessoa sozinha. Não corresponde ao estado de alma definitivo e irremediável daqueles que estão sós. Dores fortes acontecem nas transições vivenciadas como negativas, enquanto os prazeres são característicos das transições positivas; prazeres e dores sempre duram um tempo limitado, pois depois nos habituamos à nova condição, positiva ou negativa.

O uso adequado da palavra "solidão" corresponde, pois, ao estado que se segue à transição, e implica a acomodação à vida de uma pessoa solteira. Não corresponde ao período traumático relacionado com o luto e a perda de referências que acontece por força da quebra da rotina em que se vivia. A verdade é que a mesma palavra é usada para descrever as duas situações. Algumas pessoas dizem que a solidão é horrível, enquanto outras afirmam que ela pode ser um estado muito legal! Ambas têm razão, sendo que as primeiras estão se referindo à transição e as segundas ao dia-a-dia dos que já se adaptaram à vida de solteiros.

As pessoas que se assustam muito com a primeira fase do estar só buscam apressadamente um novo relacionamento afetivo. Estão em péssimas condições emocionais, e a urgência diminui ainda mais o rigor na escolha do parceiro. Tendem a se encantar de forma muito pouco criteriosa, de modo que sofrerão novas frustrações e decepções ao longo do novo envolvimento; voltarão a vivenciar as dores relacionadas com a ruptura. Ao tentar livrar-se desse tipo de sofrimento, acabam se encontrando mais uma vez diante dele.

Se não se acautelarem e não enfrentarem a dor que tentam evitar, cometerão o mesmo erro, e seus critérios de escolha dificilmente mudarão. O processo não é evolutivo e corresponde a um círculo vicioso, no qual não se vai a lugar algum. É como um carro atolado que, ao ser acelerado, agrava o problema. A auto-estima vai ficando cada vez mais abalada em virtude dos sucessivos fracassos, o que cria condições quase imperativas para a reprodução do mesmo tipo de revés. As pessoas têm de parar e pensar muito antes de agir. Precisam ser prudentes e tratar de encontrar os meios legítimos de sair do atoleiro, o que implica enfrentar os sofrimentos — e não tentar escapar deles.

vinte e dois

A possibilidade de uma vida nova começa a se descortinar depois de superadas as dores relacionadas com o luto da ruptura afetiva anterior. Não importa o tempo que dure — sempre deveríamos tentar fazer que ele seja o mais curto possível —, a solidão que poderíamos chamar de "útil", evolutiva e construtiva começa nesse ponto. Solidão, já sabemos, corresponde a um estado crônico que pode durar por tempo indeterminado e não tem a obrigação de ser ruim. Existem, é claro, momentos difíceis. Por exemplo, no início nem sequer sabemos sentar num restaurante para comer sozinhos; não estamos habituados a ir sozinhos ao cinema ou a uma festa.

Em nossa cultura, podemos nos sentir por baixo ao ser vistos sem companhia. É como se houvesse uma hierarquia que privilegia os que estão casados — ou vivem relacionamentos estáveis. Felizmente isso está se modificando. É interessante constatar a força da cultura em nossa subjetividade: se estivermos em uma cidade — Paris ou Nova York, por exemplo — onde é usual alguém ir a um restaurante sozinho, fazemos isso muito bem, sentindo-nos felizes e orgulhosos. Vamos ao cinema e passeamos sem o menor constran-

gimento. Pensamos em implantar esses novos hábitos tão atraentes quando voltarmos para nossa terra. Mas qual o quê! Depois de poucos dias recuperamos todos os padrões locais de comportamento que pretendíamos abandonar.

Por vezes temos sensações próprias de desamparo — "buraco" no estômago ou opressão no peito. Temos medo e insegurança diante de situações banais da vida prática. Sentimos falta do "colo". Aos poucos, vamos "domesticando" esses mal-estares: percebemos que os sintomas desaparecem quando estamos ocupados, de modo que tratamos de nos entreter ao máximo, tanto com o trabalho como por meio de leituras, filmes etc. O desconforto se manifesta principalmente quando estamos parados, exatamente como acontece com a criança que vai passar o fim de semana na casa de alguém e na hora de dormir sente uma falta enorme da mãe.

As noites podem ser mais problemáticas, pois nos sentimos particularmente ameaçados nessas horas. Podemos sentir a falta de outro corpo na cama, especialmente durante o inverno. Aos poucos, porém, vamos percebendo que isso é uma faca de dois gumes e que é ótimo apagar a luz na hora que queremos; que é bom podermos decidir a quantidade de cobertores sem ter de negociar isso com um parceiro que pode ter outras preferências; que é bom escolher o programa de TV que nos interessa e assisti-lo até a hora que desejarmos.

Vai ganhando importância crescente a vivência de ser dono de si, de escolher o que — e se — comer, aonde ir,

que convites aceitar, que programas fazer. Aos poucos, isso pode representar prazer maior do que a dor do desamparo. Aliás, a sensação de desamparo vai sendo substituída pelo bem-estar que deriva da auto-suficiência. Essas vivências correspondem a um período de grande evolução e amadurecimento emocional: em vez de sermos adultos com carências típicas das crianças, passamos a encontrar forças para cuidar de nossas "feridas" sem o apoio da mãe — ou substituto.

A esse avanço emocional na direção da autonomia sempre se acopla um importantíssimo avanço moral. Sim, porque se a pessoa era mais generosa agora terá de aprender a fazer mais para si, e se era egoísta precisará empenhar-se para ser capaz de resolver suas necessidades, uma vez que não tem mais a quem recorrer. Os generosos são incompetentes para cuidar de si e terão de aprender a fazê-lo; sabem dar aos outros e agora precisarão aprender a dar a si mesmos. Os egoístas são incompetentes para cuidar de si e terão de aprender a fazê-lo; terão de ser capazes de se bastar.

É difícil imaginar uma situação mais favorável aos avanços do que esse estágio numa vida solitária. O ideal seria que, em algum momento da vida adulta, todas as pessoas se dispusessem a isso com o claro intuito de tentar superar as importantes pendências que todos trazemos das vivências infantis.

vinte e três

Muitas pessoas malcasadas, insatisfeitas com a qualidade do relacionamento, optam por continuar nessa condição. Na maior parte dos casos, o insatisfeito é o mais generoso. Ao tomar consciência de sua condição, ou seja, de que está amando unilateralmente e a relação é, antes de tudo, da conveniência prática do mais egoísta, reconhece-se como um tonto. Pára de achar graça no fato de se sentir o mais forte, o "superior" porque dá muito mais do que recebe.

Quando isso acontece, a mulher generosa se desinteressa sexualmente do marido, enquanto o homem generoso pára de correr atrás da esposa e deixa de "implorar" seus favores. O homem egoísta costuma estar muito satisfeito no casamento — apesar das constantes reclamações; só se ressente quando surge o desinteresse da esposa. A mulher egoísta se queixa de falta de interesse sexual pelo marido, mas acha que vale a pena continuar no relacionamento, que é cheio de outras conveniências. Homens e mulheres egoístas, ao perceber que estão sendo menos paparicados, reclamam mais ainda — e, apesar da má vontade de seus parceiros, são atendidos. Acalmam-se e voltam à con-

dição de acomodados. Por eles, a situação ficaria assim pelo resto da vida.

Os generosos, mesmo depois de perceberem a verdadeira condição em que estão envolvidos, também tendem a se acomodar. No caso das mulheres, a maior exceção a essa regra são aquelas que sofrem ações violentas e cruéis por parte do marido e acabam por forçar a separação. Quando o marido é "apenas" omisso e mulherengo, passam a viver quase como se fossem solteiras. Cuidam de si, dos filhos, da casa, gastam boa parte do tempo — que antes era de rejeição e abandono e agora é vivido como tempo livre — em leituras, cursos, convívio com amigas, enfim, aprimorando-se e dedicando-se aos próprios interesses. Por outro caminho, também acabam fazendo os avanços emocionais e morais necessários para que novas possibilidades se abram.

Tanto para os homens como para as mulheres, as questões de ordem prática interferem muito na decisão de manter o casamento. Em nome das conveniências, ambos toleram o vazio e as frustrações que sentem por estar ao lado de um parceiro decepcionante — do qual não esperam mais nada. Os filhos contam muito, conta a casa, o patrimônio e até mesmo a rotina da vida conjugal. Muitas das mulheres maltratadas, por sua vez, não vislumbram outra opção senão a separação, mesmo quando isso implica dramáticos contratempos de ordem prática.

Os homens, como já registrei, tendem menos a se separar. Têm pouca competência para ficar sozinhos e pagam um tributo prático maior por terem de se afastar dos filhos, da casa e — em virtude dos deveres materiais com tudo que deixam para trás — podem ficar em má condição financeira. É raro que sejam tão atormentados a ponto de não conseguir levar a vida assim, fugindo de casa a pretexto de trabalhar. Viajam mais que o necessário e vão fazendo, aos poucos, seus treinamentos na arte de ficar sozinhos; aprendem a cuidar de si, a fazer refeições solitárias e a atribuir a si crescentes benefícios.

Homens e mulheres mais generosos continuam no casamento constituído com parceiros antagônicos, mas estão cada vez mais ocupados com a própria vida. Livraram-se da ingênua esperança de, um dia, finalmente serem tratados com a consideração e o respeito que esperavam como retribuição por serem tão dedicados. Tornam-se cada vez mais conscientes de que não vão envelhecer ao lado daquele parceiro, mas sabem que a conveniência racional pede a aceitação daquela situação duvidosa até que estejam emocionalmente prontos para um vôo maior. Quando têm filhos, acham que o tempo joga a seu próprio favor. As crianças estão crescendo e, salvo nos casos de extrema incompatibilidade, é melhor para a evolução deles que pai e mãe permaneçam juntos.

O tempo de maturação necessário para que possa haver a separação costuma ser de alguns anos após a plena consciência da irreversibilidade da situação conjugal. Isso pode se acelerar por força do surgimento de um envolvimento emocional intenso com outro parceiro.

Caso isso aconteça antes dos avanços emocionais necessários, o novo envolvimento amoroso pode ser tenso e de resultados desastrosos. Em breve trataremos desse assunto fundamental que define as histórias que chamo de "paixão".

A vida de solteiro dos mais egoístas é bem diferente da dos mais generosos. Esses últimos são mais reservados, discretos e tímidos, e por isso um tanto inábeis para os relacionamentos sociais superficiais. Não são daqueles que freqüentam clubes e, depois de algumas semanas, conhecem quase todo mundo. Não têm coragem de abordar pessoas desconhecidas, devido ao medo de incomodá-las ou de ser rejeitados. Não foram muito bem-sucedidos durante os anos da mocidade.

Os generosos costumam, portanto, ser mais caseiros e raramente vão aos lugares típicos dos solteiros. Quando o fazem é por insistência de amigos ou parentes. Costumam se aborrecer e decepcionam-se consigo mesmos por terem ido; não gostam da sensação de estar se oferecendo! Sentem-se humilhados no papel de quem vai a um bar de solteiros com a clara finalidade de encontrar um parceiro. Sua vaidade parece muito ofendida, pois, entre outras razões, não fazem sucesso — tanto por seu temperamento como por não se sentirem confortáveis no papel que estão tentando desempenhar. Saem dessas experiências com a clara sensação de que não foram feitos para esse estilo de vida.

A situação é ainda mais constrangedora para os homens, pois eles observam seus amigos mais extrovertidos e ousados — em geral, os mais egoístas — em ação; estes são diretos, frontais, e abordam as mulheres que dão algum espaço para isso — via de regra, as mais egoístas. Os egoístas conseguem parceiras sexuais com incrível facilidade, e os generosos ficam humilhados e diminuídos por sua incompetência. Não são capazes dessa abordagem claramente erótica porque consideram que estão ofendendo a mulher. Não conseguem mentir, de modo que não são românticos na abordagem quando não estão interessados em alguém. Não sabem como agir.

Sentem-se incapazes e perdedores, de modo que ficam cada vez mais em casa, circulam com seus poucos amigos e esperam encontrar uma nova parceira nos contextos naturais da vida: uma festa de parentes ou amigos, no ambiente de trabalho, nas casualidades do dia-a-dia etc. Aprendem cada vez mais a ficar bem sozinhos e acabam dedicando a maior parte do tempo ao trabalho ou aos prazeres solitários ligados às atividades culturais. Quando são esportistas, praticam suas atividades e também usam o ambiente para fazer amigos. Sentem-se muito melhor indo aos lugares por causa de alguma finalidade objetiva — e a busca de uma parceira não faz parte do rol dessas atividades.

As mulheres mais generosas vivem a vida de solteiras de forma parecida com a dos homens, mas penso que elas se ressentem um pouco menos do que eles. Não admiram tanto — nem invejam — as mulheres mais desinibidas e exibicionistas que fazem sucesso nos

pontos de paquera. Não buscam esse tipo de solução para sua vida, não acham a conquista erótica divertida por si só nem curtem intimidades sexuais sem compromisso. Querem encontrar um novo parceiro fixo. Sendo esse o objetivo, são exigentes e esperam mais ou menos pacientemente sua chegada.

Esperam alguém melhor do que os que já passaram por sua vida; isso não é fácil e, por vezes, tarda a acontecer. O perigo — também presente nos homens — é o desespero, a dor exagerada relacionada com o estar só por tanto tempo e a desesperança. Já me referi a essa situação, na qual poderão vir a aceitar abordagens indevidas, repetindo "escolhas" que tinham jurado não mais fazer. Tais saídas, regressivas, podem ser irreversíveis. **Penso que é melhor ter o futuro em aberto — ainda que sem garantias de sucesso — do que aceitar um "prêmio de consolação" um tanto requentado.**

Os mais egoístas não se ocupam em aprender a ficar sozinhos. Usam suas aptidões sociais para fugir de toda e qualquer introspecção. Acordam e já começam a se comunicar com colegas, conhecidos em geral — todos tratados como amigos. Falam ao telefone e pelo MSN, freqüentam as academias de ginástica mais badaladas, trabalham, almoçam com a "turma", vão ao bar no fim da tarde, de lá para o restaurante e depois às baladas. Estão sempre de olho em várias parcerias sexuais. Costumam ter bastante sucesso no jogo erótico, de modo que mantêm uma vida sexual ativa. Divertem-se com parceiros egoístas, mas estão de olho em alguém mais generoso quando o objetivo é estabelecer elos mais consistentes. Não confiam nos egoístas e menos ainda nas pessoas "fáceis" das quais se aproximam à noite. Como não ficam bem sozinhos e têm sucesso na vida social, costumam continuar nessa toada mesmo quando já estão um tanto entediados.

Nunca demonstram tédio: mostram-se sempre felizes e realizados com seus feitos e conquistas. Sabem que isso provoca a inveja dos mais generosos e não perderiam por nada a oportunidade de se exibir como vencedores. E, nesse aspecto da vida de solteiros, eles o são de fato! Quando são capazes de seduzir sentimentalmente uma nova parceria mais confiável, acomodam-se graças a essa nova aliança. Sendo pouco tolerantes a frustrações, raramente abrem mão das delícias eróticas da vida de solteiro na qual são tão bem-sucedidos. Tentam viver o melhor dos dois mundos. **Na maioria dos casos, evoluem muito pouco; apenas trocam de parceiro. A coragem de amar não se desenvolve em um estilo de vida como o descrito acima, de modo que suas perspectivas sentimentais são muito sombrias. Os que quiserem reverter esse tipo de prognóstico terão de percorrer o caminho mais penoso, o da honestidade em reconhecer suas dificuldades e intolerâncias, assim como em se preparar para enfrentá-las. Têm de se acautelar e não se acomodar nas facilidades que a vida de solteiro lhes proporciona, além de buscar o recolhimento e a solidão tão difíceis e sofridos, mas tão ricos em introspecção e autoconhecimento.**

vinte e cinco

Estamos em um dos pontos mais penosos da trajetória daqueles que querem se dar bem na vida sentimental e reconhecem ter alguma coragem para isso. Reforço o que escrevi há pouco: essa coragem costuma faltar aos mais egoístas, pois qualquer ousadia implica risco de fracasso, frustrações e contrariedades; o momento penoso corresponde sempre a uma nova oportunidade evolutiva, e os que estiverem interessados em vivências amorosas de qualidade não deveriam perder essa que pode ser uma das últimas chances de alterar o rumo de sua vida.

O tempo passa de forma sofrida tanto para os malcasados — que correspondem a um modelo de solitários — do tipo generoso quanto para os que estão sozinhos e são mais reservados. Os egoístas casados estão, como mostrei anteriormente, satisfeitos com seu estado, apesar de reclamarem; os solteiros, embora um tanto entediados, divertem-se mais facilmente com "amigos", paqueras e noitadas. Sabem que não devem esperar muito da vida sentimental, independentemente do discurso que façam: buscam parcerias nas quais levem alguma vantagem prática ou emocional. E nada mais.

Os generosos se ressentem muito com o fato de levarem uma vida sem graça. Os casados, desencantados, estão fartos de amar de forma unilateral. Os solteiros não sabem aonde ir, onde procurar gente como eles. Ficam em casa, tristes mas em paz. Em bares e festas sentem-se como peixes fora d'água. Queixam-se da falta de amigos leais e, mais ainda, de parceiros sentimentais. São os que falam da escassez de gente interessante e interessada em relacionamentos com compromisso, já que não gostam de ficar com alguém "quando dá vontade".

O tempo anda devagar e podem se passar anos sem que nada de muito emocionante lhes aconteça no aspecto sentimental. Aqueles que têm uma vida profissional interessante toleram melhor essa fase difícil. Os que gostam muito de ler, estudar ou conviver com os poucos amigos sinceros também estão em situação privilegiada. Os mais reservados e que têm uma vida profissional ou intelectual pouco estimulante padecem muito. Deveriam se empenhar mais na busca de algum tipo de entretenimento, já que esse é um recurso que depende da ação deles. O encontro amoroso é fortuito e aleatório.

De repente, de onde menos se espera, aparece uma pessoa interessante que parece ter manifestado desejo de aproximação. Surgem aquelas conversas íntimas tão raras e desejadas. Constatam-se grandes afinidades (de caráter, de pontos de vista, de gostos) e dificuldades parecidas... Falamos e temos a impressão de ser entendidos, como se o outro decodificasse as palavras ditas de forma rigorosamente compatível com nossa inten-

ção ao proferi-las. Sentimo-nos aconchegados! O encontro de alguém que pensa e sente de modo parecido faz que não nos sintamos mais sozinhos.

É nesse ponto da história que pensamos em "almas gêmeas", em já termos nos encontrado em "outras vidas". É como se a comunicação pudesse acontecer por telepatia: um diz exatamente o que o outro está pensando. Cada um relata suas vivências, sua história pregressa; nessa experiência incomum, não há julgamentos. A confiança recíproca vai crescendo e as confidências tornam-se mais detalhadas. Um passa a conhecer o outro radical e profundamente. Cada um vai se sentir aceito por alguém que sabe tudo sobre seu passado, seus pequenos pecados, suas fraquezas e inseguranças.

A intimidade cresce rapidamente e de forma similar em ambos. Podemos, pois, falar com propriedade em envolvimento bilateral. É o aconchego, o encontro tão sonhado, o calor derivado de estar verdadeiramente com alguém; com alguém que é gente de verdade. A sensação é a de que nada mais falta, de que o tempo poderia parar ali mesmo. Quando estão juntos, o tempo voa e as horas parecem minutos. As outras pessoas não existem mais, não há nada além daquela adorável sensação de completude. Sentimos amor — em sua plena expressão — por aquela criatura especial que nos proporciona essa sensação adorável. A dor na hora da separação é imensa. O pensamento acerca do que está acontecendo é constante e obsessivo; nada que interessava continua a ser relevante.

O afastamento vem acompanhado de brutais inseguranças, dúvidas acerca do que o outro sente, se ainda nos quer, se vai demorar para nos procurar. O apetite desaparece e o sono passa a ser apenas o mínimo necessário. O coração começa a bater muito e muito forte — de medo[15]! Cada telefonema (ou outro tipo de contato) apazigua o medo por alguns instantes. Os encontros apaziguam um pouco mais. Porém, a insegurança reaparece pouco tempo depois das inevitáveis separações. **Os medos passam a ser parte integrante do processo de encantamento amoroso; o primeiro deles, o mais imediato, é o de sermos abandonados.**

15 A taquicardia atribuída ao amor deve sempre ser considerada como relacionada com o medo. Não indica intensidade sentimental, e sim intensidade do medo.

vinte e seis

Defino a paixão como a associação do aconchego amoroso derivado de um relacionamento de ótima qualidade e enorme intensidade com um medo de igual dimensão. Paixão = amor + medo. O primeiro medo, como disse há pouco, é o da perda daquilo que finalmente nos chegou e encantou. Porém, ele não é o único; aliás, tende a decrescer com o passar do tempo. O pavor do abandono diminui à medida que os que se amam vão se reassegurando da reciprocidade e estabilidade do sentimento que os une.

Outro medo que entra em cena está ligado ao fenômeno da fusão romântica. A chegada de uma pessoa com a qual nos sentimos intensamente encaixados determina a forte sensação de que, finalmente, encontramos a metade faltante. A sensação de incompletude que nos acompanha desde o nascimento deriva da ruptura da relação simbiótica original, e acreditamos — influenciados pela forma como aprendemos a pensar sobre o amor — que só voltaremos a nos sentir completos com o reencontro "adulto" daquilo que sentimos nos faltar.

Podemos supor que se trata de uma aliança adulta, porque a "fusão" se manifesta em uma relação mais madura, uma vez que se baseia em afinidades intelectuais e de caráter. Tais afinidades também determinam a sensação de aconchego, já registrada anteriormente, típica das relações de amizade. **Aconchego físico associado a aconchego derivado das semelhanças intelectuais define uma força de atração brutal e apavorante: sentimo-nos profundamente ameaçados em nossa individualidade. O antagonismo tradicional entre amor e individualidade alcança aqui sua máxima expressão. O encaixe é maravilhoso e irresistível. A individualidade só não se sente tão ameaçada a ponto de determinar a imediata ruptura do elo por força das enormes afinidades: elas definem uma quantidade de concessões aceitável; ou seja, apesar da plena fusão, as limitações à identidade de cada um são toleráveis.**

As limitações aparecem apenas como toleráveis, de modo que o medo por vezes se manifesta de forma bastante intensa. Um bom exemplo acontece quando o casal de apaixonados tem a oportunidade de passar um tempo mais longo junto: parece que vão se sentindo sufocados, vestindo uma roupa na qual o colarinho fica cada vez mais apertado. O ar se torna escasso, e o afastamento temporário, ainda que doloroso, é vivenciado como grande alívio. Os que vivem em cidades diferentes beneficiam-se muito do distanciamento compulsório determinado pela necessidade de voltar ao cotidiano que os separa.

O medo na paixão tem que ver primeiro com o pavor da ruptura do elo; depois, deriva das ameaças à

individualidade tão duramente conquistada; por fim, é determinado pelo medo da felicidade. É uma estranha sensação de ameaça e iminência de tragédia que nos acomete cada vez que nos sentimos particularmente felizes em decorrência de uma conquista. Nada provoca mais e de forma tão intensa esse medo difuso — que se manifesta como se uma espada tivesse sido colocada sobre nossa cabeça — do que o encontro amoroso. Todo tipo de pensamento supersticioso toma conta dos que estão felizes. Eles usam expressões do tipo "não é possível que essa felicidade dure para sempre", ou então "isso está bom demais". A sensação é de que alguma tragédia ronda os que fazem uma aliança plenamente gratificante.

Sobre o medo da felicidade e suas tendências destrutivas — que geram atos involuntários praticados com o intuito de nos afastar da plenitude vivenciada como ameaçadora — já escrevi inúmeras vezes[16]; voltarei brevemente ao tema nas páginas seguintes. **Aqui cabe apenas reafirmar que os apaixonados vivem em estado de alarme, como se estivessem em um campo de batalha onde pudessem ser atingidos a qualquer momento. Não espanta, pois, que se tornem obcecados por sua situação e tenham enorme dificuldade de se concentrar em seus afazeres.**

Pessoas apaixonadas vivem num "estado extraordinário" (segundo a feliz expressão de Francesco Alberoni

16 Aos que quiserem conhecer detalhadamente meus pontos de vista a esse respeito, recomendo a leitura de *Dá pra ser feliz... Apesar do medo* (MG Editores, 2007).

no livro *Enamoramento e amor*[17]). **Sentem-se únicas, especiais, como se estivessem vivenciando algo raríssimo — que, curiosamente, é repetitivo e padronizado. Vivem como se as fortes emoções de medo fizessem parte do caráter romântico da relação, e não percebem que a história se assemelha mais aos filmes de terror, em que fantasmas perigosos os rondam o tempo todo. Amam e sofrem como em poucas situações existenciais. Apesar de toda a dor e de todo o pavor, nunca se arrependem de estar naquela situação. Sentem que, agora sim, sua vida faz sentido!**

17 ALBERONI, Francesco. *Enamoramento e amor*. Rio de Janeiro: Rocco, 1999.

vinte e sete

Penso e escrevo sobre a paixão desde 1970. Algo que sempre me intrigou foi o fato de que um sentimento assim intenso — sempre entre pessoas parecidas em muitos aspectos essenciais, condição também presente nas amizades — manifesta-se quase invariavelmente em situações objetivas de proibição (ou, ao menos, de resolução complexa). Até hoje são poucos os casos de envolvimento da intensidade típica da paixão entre pessoas livres e disponíveis.

Várias são as hipóteses que tentam explicar esse fato, também presente na literatura sobre o amor há muitos séculos. Algumas estão relacionadas com os aspectos práticos que norteavam as escolhas conjugais até há pouco tempo: as famílias escolhiam com quem os jovens se casariam; os casamentos por interesse não preenchiam plenamente a lacuna amorosa e deveriam durar por toda a vida; assim, envolvimentos intensos e extraconjugais eram quase obrigatórios. As hipóteses psicanalíticas dizem respeito aos problemas infantis de caráter triangular (edipianos) que buscam outra tentativa de resolução na vida adulta (tese defendida por Igor Caruso, psicanalista austríaco que em 1968 publicou um livro pioneiro sobre o tema chamado *A separação dos amantes*[18]).

O fato indiscutível é que os obstáculos eram praticamente intransponíveis, de modo que o destino trágico das paixões estava presente na mente dos amantes ao longo de todo o processo de encantamento. Eles vivenciavam a adorável sensação de completude quando estavam juntos, ao mesmo tempo que era quase certo que aquele estado maravilhoso teria um final extremamente doloroso. Muitas das histórias terminavam com o suicídio dos amantes, que não tinham forças para ultrapassar os obstáculos externos nem imaginar a vida separados.

Os impedimentos sempre foram de diversos tipos: pessoas casadas em uma época e cultura em que o divórcio não era sequer cogitado; diferenças raciais e religiosas intoleráveis; rivalidade e divergências entre as famílias de jovens apaixonados; diferenças dramáticas de idade e de local de residência. Apenas os casais muito ousados — que beiravam a irresponsabilidade — dispuseram-se a romper com as tradições e magoar mortalmente várias pessoas emocionalmente relevantes. Como aqueles que se apaixonam são pessoas preocupadas com os direitos dos outros, sentem culpa e, no passado, é provável que não tivessem as condições emocionais para atuar de forma radical nem mesmo em nome da paixão mais intensa. Preferiam a dor pessoal a magoar, por exemplo, pai e mãe.

18 Caruso, Igor A. *A separação dos amantes: uma fenomenologia da morte*. 5. ed. Trad. João Silvério Trevisan. São Paulo: Cortez/Diadorim, 1989.

Acontece que os tempos são outros. O divórcio é prática corrente na grande maioria dos países. Apenas os que são muito religiosos se preocupam com casamentos entre pessoas de credos diferentes. As diferenças de idade são mais bem aceitas por todos. Os problemas geográficos, quase sempre solúveis. As famílias interferem cada vez menos na escolha do parceiro conjugal. Era de esperar que, com a diminuição da importância dos obstáculos externos, a maior parte dos que se apaixonam trataria de tomar as providências necessárias para, o mais rapidamente possível, ficar com quem ama, realizando assim o sonho romântico tão ansiado e tão intensamente valorizado.

Antes fosse! **Até hoje a grande maioria dos que se apaixonam não transforma uma relação assim gratificante em fato real, em um vínculo único e compromissado. Como no passado, sonham com o casamento; antes não concretizavam o amor por força dos obstáculos externos. Hoje, mesmo sem a interdição, sonham mas não concretizam!** O mais triste é que continuam a atribuir a não-consumação da união aos mesmos obstáculos, agora muito fáceis de ser superados: pessoas casadas usam os filhos como "álibi" para não se separar de cônjuges a quem não amam — se amassem, não se apaixonariam por outra pessoa. Já ouvi mulheres dizerem que não teriam coragem de afastar os filhos do pai para justificar a manutenção de uma aliança infeliz. Quanto aos outros obstáculos aventados, nem é bom comentar, pois é óbvio que não têm a relevância a eles atribuída e estão sendo usados apenas como escudo.

Passaram-se quase quatro décadas e acompanhei centenas de histórias de paixão que terminaram em separações dolorosas e desnecessárias – umas poucas, é claro, foram bem-sucedidas, e os amantes tiveram coragem de levar adiante o relacionamento. Minha convicção se firmou, e aquilo de que eu suspeitava desde o início se confirma a cada caso que acompanho: o obstáculo à realização amorosa é interno! É forçoso atribuir um peso muito maior aos medos que já descrevi. O medo da dor da ruptura, o medo da perda da individualidade e o medo da felicidade constituem um potente "fator antiamor", vencedor da grande maioria das batalhas. Obstáculos externos sempre existem e não devem ser desconsiderados. Porém, parece que são mais fáceis de ser ultrapassados e superados do que os que estão dentro de nós.

vinte e oito

Convém insistir para que pensemos um pouco mais a respeito do fator antiamor, posto que ele é bastante poderoso e influente em nossa vida íntima. **Parece-me essencial reforçar que ele cresce na proporção da intensidade do amor! Assim, quando o sentimento é menos intenso, o antiamor também o é. Ele será máximo na paixão. Creio que isso faz todo sentido, uma vez que o medo da fusão romântica aumenta à medida que crescem a possibilidade e o risco de ela acontecer.**

Os casais que se dão muito bem, que sentem amor intenso — recíproco —, além de ter hábitos e caráter parecidos tendem naturalmente à fusão, sonho de todos nós. Se ainda por cima curtem o jeito de ser, falar, mover-se, sorrir e olhar (o que costumo chamar de fator x, somatório de inúmeros fatores pouco específicos, indispensável ao encantamento) um do outro, sentem-se cada vez mais indefesos contra esse anseio que nos acompanha desde o nascimento. Tudo conspira para que não consigam ficar longe um do outro por mais de algumas horas — exatamente como acontece na relação do bebezinho com a mãe.

É indiscutível o caráter regressivo dessa tendência à fusão, presente em quase todos nós. Isso se manifesta até mesmo nas palavras que os apaixonados costumam usar sempre no diminutivo (fofinho, benzinho etc.). **Vejam como é curiosa nossa psicologia: as divergências costumam irritar-nos — e muito —, mas ao mesmo tempo nos salvam dessa tendência à fusão. Esse é um importante ingrediente que nos impulsiona na direção de escolhas pouco adequadas, que implicam menor risco de fusão. As qualidades (leia-se "aquilo que nos agrada") do amado nos atraem, enquanto os defeitos nos repelem. Fica claro que necessitamos muito dos defeitos do parceiro porque eles nos protegem de nossa tendência à fusão.**

Quando os defeitos (leia-se "diferenças de pontos de vista ou modos de agir") são de pequena monta, estamos em maus lençóis, e aí o fator antiamor é máximo. Estaremos profundamente ameaçados em nossa individualidade, já que a fusão romântica é seu maior e mais perigoso inimigo. Ampliamos a importância e o peso dos obstáculos externos, que, nesse caso, fazem as vezes dos defeitos que não conseguimos atribuir ao amado. Apegamo-nos a eles no intuito de inviabilizar a união tão desejada quanto temida — geralmente, um pouco mais temida do que desejada.

O medo da felicidade corresponde à sensação de iminência de tragédia que acompanha nossos melhores momentos. É como se a grande desgraça viesse a se repetir: estávamos no útero, felizes, em harmonia e simbiose com nossa mãe; à situação paradisíaca seguiu-se a dramática e dolorosa ruptura do nascimento. Sobra em nós uma espécie de condicionamento, de forma que sempre que estamos em harmonia, felizes e serenos, sentimos crescer as chances de uma nova tragédia, agora associada à idéia de morte. O que fazemos? Buscamos um jeito de livrar-nos daquela plena felicidade. Tratamos de encontrar formas variadas de destruir, ao menos em parte, a plenitude; isso no intuito de nos proteger. Entregamos voluntariamente parte do que possuímos com o objetivo de preservar o que nos parece essencial.

O amor é o maior motor de nossa felicidade — e também está diretamente relacionado com nossas primeiras vivências, as mesmas que determinaram o condicionamento acima descrito —, e o medo de que algo terrível venha a acontecer é máximo e vivenciado como brutal. Arrumamos um jeito de brigar e sabotar a união, sempre no intuito de não sermos acometidos por alguma forma mais dramática de destruição. Muitas vezes, destruímos mais que o necessário e buscamos os assuntos que mais nos entristecem e fazem sofrer. Os casais apaixonados que sonham em ficar juntos costumam se martirizar por longas horas lembrando de supostos obstáculos intransponíveis e imaginando o sofrimento que vão ter de impingir a terceiros. Gastam boa parte do escasso tempo de que dispõem discutindo sobre o que será feito deles no futuro sombrio.

A individualidade brutalmente ameaçada e a iminência de morte trágica determinada pelo medo da felicidade sentimental se unem e acabam por determinar a dramática ruptura do relacionamento entre os que se amam. O início dos relacionamentos de qualidade é perturbado pelo medo do sofrimento embutido na possibilidade de ruptura do vínculo. Isso, de fato, acaba acontecendo, e não é impossível que venha a acovardar muitas pessoas caso elas deparem com a possibilidade de outro envolvimento intenso. O inverso também pode acontecer: ao perceberem que são capazes de tolerar essa que é uma das maiores dores a que estamos expostos na vida, talvez se sintam fortes e com coragem para novas aventuras similares.

A depressão e a dor vivenciadas na separação dos amantes é dor de morte: é saber que estamos morrendo na consciência do outro. Morrendo no outro e matando-o dentro de nós. O tempo de recuperação é longo, e algumas pessoas talvez jamais venham a superar o que vivenciaram. Muitos casais reencontram-se anos — ou décadas — depois da ruptura e não conseguem se olhar com neutralidade. A "mágica" do amor transforma uma pessoa "neutra" em ímpar, única e indispensável. A ruptura deverá produzir a "mágica" inversa, a de trazer a pessoa especial de volta à condição de pessoa comum. O que nem sempre acontece.

vinte e nove

Como fica a subjetividade de uma pessoa depois de ter experimentado a paixão? Posso afirmar que essa é uma vivência crucial na história de suas relações amorosas. A forma de encarar a questão dificilmente será a mesma. Penso que existem quatro diferentes respostas ao que lhes aconteceu: 1) um bom número de pessoas desiste de grandes aventuras nessa área e se acomoda em um relacionamento — já existente ou que venha a acontecer — de intensidade e qualidade menor; 2) outro grande contingente de pessoas sai fortalecido do episódio e disposto a experimentá-lo novamente, agora com mais consciência e coragem de levá-lo adiante; 3) um pequeno grupo de casais não se conforma com a ruptura da paixão e trata de enfrentar os obstáculos correspondentes ao fator antiamor — deles tratarei em breve; 4) outro pequeno número de pessoas concluirá que o amor é um fenômeno regressivo e uma ameaça insuportável à individualidade — e fará uma opção definitiva a favor dessa última.

Os que, como eu, acompanharam muitas histórias de amor, sabem que a paixão aparece como um divisor de águas. Os mais egoístas, pouco tolerantes a sofrimentos e frustrações, não costumam se apaixonar. Correspondem a metade da população e preferem não se arriscar muito nessa área, justamente por reconhecerem não ter condições de agüentar os eventuais sofrimentos. Ficam na "confortável" condição dos que são amados, objeto da dedicação dos mais generosos, igualmente imaturos para amar de verdade, uma vez que isso implica reciprocidade. Além de não se arriscarem, acomodam-se na condição "privilegiada" dos que levam vantagens e ainda reclamam. Não são muito confiáveis e se entretêm estimulando o interesse afetivo e erótico de outras pessoas — com as quais podem vir a ter algum relacionamento superficial e descompromissado.

Vão vivendo dessa forma e, no fundo, sentem inveja dos que se apaixonam e têm coragem de mergulhar nas delícias e nos horrores desse sentimento. É claro que jamais reconhecerão a presença da inveja, assim como dificilmente reconhecerão que, por força do convívio, estão mais apegados do que gostariam a seus parceiros generosos. Estabeleceram uma relação fundada em dependências práticas, na qual aceitaram ser servidos e acabaram também dependendo sentimentalmente do parceiro, situação que acontece sempre que convivemos cotidianamente com alguém. Tentam demonstrar pouco apego e propõem a separação por qualquer motivo banal. Porém, quando — e se — ela de fato acontece, desesperam-se e passam por todas as dores que tanto tentaram evitar. As dores também acontecem para os que tanto as temem!

Os generosos que não conseguirem se recuperar do sofrimento ligado a uma experiência de paixão fracassada estão se condenando a um destino um tanto sombrio. Terão momentos de grande tristeza ao longo de muitos anos, especialmente ao se conscientizarem de que tomaram a iniciativa de se afastar do amado por causa do medo. Os que considerarem que foram rejeitados ou abandonados também podem se ressentir muito, mas não carregarão o peso da covardia — que, de fato, conseguiram dominar, apesar de também terem sentido muito medo. Algumas pessoas acham que só se vivencia esse tipo de sentimento uma vez ao longo da vida, de modo que consideram o fracasso irreparável. Aceitam uma vida sentimental medíocre, vêem-na como parte do seu triste destino e buscam compensações em outras relações familiares, especialmente com os filhos. Por vezes canalizam a energia para atividades sociais ou profissionais, tentando extrair delas as gratificações que se tornaram impossíveis no plano sentimental.

Os mais egoístas, somados aos que se acovardaram diante dos problemas que envolvem a paixão e suas dores, constituem o contingente majoritário — talvez cheguem a 75% — da população. Eles já perderam a chance de concluir essa dificílima trajetória que corresponde ao final feliz nas questões do amor. Os que saíram machucados, frustrados e sofridos, mas que, com o passar dos meses ou anos, conseguiram recuperar-se, continuam na batalha. Aprenderam a verdadeira intensidade da dor de amar. Aprenderam, ao menos em parte, a detectar onde erraram. Talvez tenham começado a se familiarizar com o papel do fator antiamor e com a necessidade de respeitá-lo tanto em si como no amado. Certamente ficam em melhores condições para tentar de novo. Dependerão do surgimento de um parceiro adequado, fato esse um tanto aleatório. Porém, se surgir oportunidade, tentarão de novo e com chances bem maiores de sucesso do que na primeira vez.

trinta

Gostaria de fazer algumas breves considerações acerca dos que se apaixonaram, perceberam quão forte é a tendência à fusão romântica diante de um parceiro muito compatível e concluíram que isso não estava em concordância com suas mais profundas convicções. Sim, porque o amor pode implicar alterações nos projetos de vida que essas pessoas não estão dispostas a fazer. Um exemplo singelo do problema a que estou me referindo seria o de um médico que sonha fazer parte de um grupo de missionários (do tipo "médicos sem fronteira") e se apaixona por uma colega cheia de sonhos urbanos. A impossibilidade de compatibilizar tais sonhos individuais sérios e consistentes com o ideal romântico é clara e inviabiliza a vida em comum.

Penso que o medo do amor relacionado com o pavor do sofrimento embutido em uma eventual ruptura é perfeitamente superável. Penso o mesmo acerca do medo da felicidade sentimental, uma vez que ela não aumenta em nada nossos riscos efetivos. Agora, não há dúvidas acerca da existência de problemas reais para quem quer compatibilizar amor e individualidade. Em muitos casos, como o do exemplo acima, trata-se de um dilema verdadeiro. O antagonismo entre amor e individualidade comporta duas soluções: a primeira consiste no empenho para conseguir ficar bem sozinho. A segunda será desenvolvida logo mais.

A solução desse dilema é crucial para que as histórias de amor tenham um final feliz. **Assim, penso que existem dois finais possíveis. Final feliz implica plena e total gratificação. Não penso em soluções intermediárias, do tipo "contemplarmos um pouco o amor e outro tanto a individualidade". Tampouco penso em dolorosa renúncia de um dos pólos do dilema — aqui, ao vivenciar uma relação amorosa, sentimos falta da individualidade, e vice-versa.**

É interessante refletir sobre o que é mais importante: amor ou individualidade. Apesar de a resposta, hoje, parecer-me evidente, o fato é que a grande maioria das pessoas ainda responderia que não há nada mais sagrado e importante do que o amor. Elas ainda têm uma visão idealizada do amor e outra totalmente deturpada do estar só — percebido como condição terrível. Ainda acham que é melhor estarem mal acompanhadas do que sozinhas!

Tenho me empenhado insistente e repetidamente em apontar o elo entre o fenômeno amoroso e a dor do desamparo que sentimos desde os primeiros momentos de vida. O aconchego materno é o remédio para essa dor, e amor é o que sentimos por nossa mãe. Com o passar do tempo, à medida que nos tornamos mais seguros, passamos a exercitar a individualidade tentando entender tudo que nos cerca. Divertimo-nos cada vez mais com esse aprendizado contínuo e só voltamos para perto da nossa mãe quando nos sentimos inseguros.

As semelhanças entre o amor adulto e esses processos são óbvias. As diferenças correm por conta do erotismo e do eventual gosto que temos nas conversas e trocas intelectuais — as mesmas que temos com os amigos. Queremos nos sentir cuidados nas horas de dor e doença, exatamente como acontecia durante a infância; nossas noites "adultas" também são mais problemáticas, de modo que gostamos muito de dormir abraçados com o amado; é mais difícil fazer refeições completas quando estamos sozinhos; e nos sentimos inseguros e fracos socialmente quando não estamos acompanhados.

Subtraindo o erotismo e a eventual — bem eventual — amizade, o que sobra é a dependência da atenuação do desamparo por parte do amado, agora substituto da nossa mãe. O "amor adulto" é isso! É dessa dependência que deriva o grande ciúme, a possessividade consentida, o pavor de perder, de se afastar, de ser trocado. A dependência determina tamanho pavor de separação que gera a tolerância indevida para com condutas grosseiras e desrespeitosas do parceiro. Como o amor é sentimento que nos une a outra pessoa mais que tudo por força de nossa incompetência de ser auto-suficientes, fica claro por que estamos tão dispostos, em seu nome, a enormes renúncias e concessões.

Algumas pessoas, desde a juventude, observam esses fenômenos de forma crítica. Acompanham o que acontece dentro de casa, com amigos e parentes, e chegam a desenvolver aversão a vínculos. Não me parece uma situação ideal, mas penso que se trata de um fenômeno diferente do medo do amor, que é próprio dos mais egoístas. Nesses casos, o projeto é o da autosuficiência — e não a busca de alguém para explorar. Pessoas avessas aos vínculos tratam de se tornar cada vez mais competentes para fazer tudo sozinhas. Tentam encontrar outro tipo de alívio para o desamparo. Buscam atenuá-lo por seus próprios meios em vez de recorrer a algum colo — sentido sempre como muito ameaçador.

O que fazem? Muitos dos que conheço são extremamente dedicados à profissão, além de desenvolverem outras atividades paralelas para se entreter ao máximo nas horas vagas. Buscam práticas esportivas, dedicam-se à leitura, aos filmes e a outras atividades intelectuais. Ocupam bastante a cabeça, já que assim sentem menos dor. Aos poucos vão conseguindo "domesticar" o "buraco" que todos sentimos na região gástrica. Aprendem a conviver com a sensação ruim quando, apesar de tudo, ela se manifesta. Afinal de contas, nossa condição é mesmo a de desamparados!

Os que são mais extrovertidos buscam saídas voltadas para a vida em sociedade: têm muitos amigos, que cultivam com carinho. Alguns se tornam bastante íntimos, de modo que provocam a agradável sensação de aconchego intelectual próprio dos relacionamentos baseados na sinceridade e lealdade. Participam ativamente da vida coletiva de suas comunidades, são mais disponíveis para as festas e para o convívio em clubes esportivos ou recreativos.

Tanto os voltados para uma vida subjetiva quanto os extrovertidos buscam a autonomia e a independência. Respeitam sua natureza e se entretêm de acordo com ela. Podem ter parceiros afetivos e sexuais, sendo que os mais sociáveis têm muito mais facilidade nesse ponto. As relações tendem a ser frouxas e não incluem projetos para um futuro em comum; ao menos da parte deles. Muitos dos seus parceiros não acreditarão nisso e poderão sofrer grandes decepções.

Seus planos são individuais e, no geral, de curto prazo. Vivem o dia-a-dia muito bem. Terão percalços, ficarão doentes e, aí, talvez sintam falta de uma parceria mais estável. Mas sempre existirão amigos chegados e parentes que podem suprir as necessidades básicas. Afinal, nem os mais solitários são tão sozinhos assim. Por outro lado, não vejo sentido nos casais que apenas se toleram com o objetivo de ter com quem contar nas horas de adversidade.

Pessoas sozinhas, bem conciliadas consigo mesmas, com sua situação e com as dores da vida, vivem muito bem. Poderão se gratificar com todo tipo de prazer intelectual, poderão ter amigos confiáveis, serão livres para ter uma vida sexual rica e bons parceiros afetivos. Não padecerão das limitações que as rela-

ções possessivas impõem e nem mesmo da necessidade de conciliar interesses — inevitáveis até nos melhores relacionamentos. Sofrem menos, vivem em paz e têm acesso a inúmeros momentos de felicidade. Podem ser consideradas pessoas bastante felizes — apesar do olhar desconfiado da maioria dos seus colegas.

31 trinta e um

Muitas das pessoas capazes de lidar de forma adequada com a dor do desamparo – competentes, portanto, para ficar sozinhas – podem vir a se apaixonar de forma intensa e radical ao deparar com uma pessoa especial. Isso pode acontecer para um individualista convicto ou para quem está solteiro (ou malcasado e consciente de sua situação) e ansiando por esse momento. O primeiro ficará surpreso e, até certo ponto, aterrorizado. O segundo terá a sensação de que, finalmente, a felicidade está batendo à sua porta.

O mais individualista, que até então estava feliz com sua vida de solteiro, sentirá um forte abalo em suas convicções. Titubeará e certamente passará por um período bastante difícil. Não podemos prever se fará a opção pela renúncia ao envolvimento intenso ou se tentará reformular seus projetos de vida. Penso que a escolha do caminho dependerá muito das peculiaridades do projeto de vida, bem como do tipo de parceiro sentimental que tiver se apresentado. Dependerá também de ele vir a ter certeza de que o envolvimento, se levado adiante, não afetará demais sua tão bem construída individualidade, da qual extrai importantes prazeres. **Estará diante de um**

dilema dourado: as duas opções são atraentes e geram ótimas perspectivas de vida futura.

Aqueles que ansiavam pelo encontro amoroso bilateral — assim como os individualistas que optaram pelo envolvimento — estarão, em poucos dias, vivenciando um estado parecido com o descrito nos capítulos 25 e 26: apaixonados e com a sensação de fusão, de os dois tenderem a se tornar um só, uma só carne (como descrito no *Gênesis*). É claro que, nesse contexto, não se pode pensar em individualidade. Se ela estava bem constituída, parece que agora se dissolverá completamente. A fusão é plena e vivenciada como altamente gratificante. Os medos não predominam, mas estão presentes. Assim, ela é sentida também como ameaçadora (medo da felicidade), asfixiante (devido à perda da individualidade) e instável (por força do medo de uma eventual ruptura do elo que rapidamente se torna essencial).

A sensação é de que nada nos falta, de que nossos antigos interesses são irrelevantes, de que os bens materiais são supérfluos, de que o momento é sublime e deveria se eternizar. Isso não acontecerá, posto que a vida não pára pela vontade dos amantes. Se algum casal levar a sério a idéia de viver plena e exclusivamente a fusão romântica, abandonando tudo e mudando para uma casinha no meio do mato, certamente sofrerá dramática decepção. A verdade é que o amor que une as pessoas é fonte de aconchego, mas não entretém suficientemente a mente acostumada à ação.

A plena realização do amor romântico de fusão implica uma espécie de retorno ao útero! Enquanto éramos fetos, portávamos um cérebro vazio de informações (ingênuo e sem inquietações), habilitado para viver essa condição paradisíaca. Depois de crescidos, perdemos a ingenuidade, mordemos o fruto do conhecimento e não toleramos mais o Paraíso — que se torna monótono, repetitivo e chato! **Em uma frase: a plena realização do amor de fusão e sua transformação em razão de existir é um fiasco inesperado.**

Felizmente, os casais não costumam trilhar tal rota. Os que estão apaixonados sonham com essa vida paradisíaca mas têm de continuar a trabalhar, a encontrar os parentes, a cuidar de assuntos práticos etc. Podem estar contrafeitos, mas não sabem como seria pior se o sonho se realizasse. Apesar das limitações impostas pela realidade, vivem um para o outro, distanciam-se dos amigos (agora percebidos como menos importantes), conversam inúmeras vezes ao longo dos dias, controlam os passos um do outro. Pessoas que até há pouco se gabavam de sua independência experimentam mudanças inimagináveis na forma de viver.

Pessoas até há pouco independentes agora se sentem extremamente desprestigiadas se, por alguns instantes, não são tratadas pelo amado como a criatura mais importante. Têm ciúme de tudo e de todos, de filhos e cães. Sentem ciúme da vida que o outro levou antes de se encontrarem. Sentem ciúme retroativo! Queriam ter sido a única razão de existir do outro, que

um tivesse vindo diretamente do útero para o colo do outro. Tais sentimentos reafirmam o caráter regressivo da paixão naqueles casos em que ela se consuma: a possessividade e o ciúme têm a intensidade das manifestações infantis das crianças pequenas em relação à mãe.

O discurso amoroso é monótono, repetitivo e alimentador da vaidade — pois é recíproco. "Você é a pessoa mais maravilhosa que existe", "eu não conseguiria viver sem você" e mais algumas poucas frases são repisadas o tempo todo. São frases que, se o bebê falasse, diria — com propriedade — à mãe. Esse incensar da vaidade parece suficientemente gratificante para, ao menos por um tempo, substituir todas as outras fontes de reconhecimento e prestígio. Essa é mais uma razão para o isolamento do casal, também nesse aspecto auto-suficiente.

O caráter sufocante e um tanto obsessivo da relação se arrefece com o passar dos meses. Afora isso, em essência tudo caminha assim ao longo de alguns anos. O amado é idealizado; seus "defeitos", desconsiderados. O medo da ruptura atenua-se, o mesmo acontecendo com o medo da felicidade. Podem, por vezes, ressentir-se de alguma falta de individualidade. Porém, como as afinidades são grandes e as diferenças estão minimizadas, sentem-se mais felizes que ressentidos.

32 trinta e dois

Acho importante fazer algumas considerações acerca da questão sexual no contexto da paixão. **Para mim, é evidente que a sexualidade atua do lado da individualidade — e não da fusão romântica.** O sexo é fenômeno pessoal, ativado pela descoberta solitária das zonas erógenas no fim do primeiro ano de vida. Na puberdade, ele ganha aparência de interpessoalidade por causa do surgimento do desejo visual masculino e pelo fato de as mulheres excitarem-se ao perceber que são desejadas.

A maior parte dos problemas sexuais na paixão se manifesta nos homens. Numa primeira fase, o mais comum é que exista grave inibição da ereção, fenômeno desencadeado por inúmeros fatores. O mais imediato é o seguinte: sempre que um homem admira e valoriza muito uma mulher, ele tende a se sentir inferior a ela, por baixo. Isso decorre de uma necessidade masculina de se sentir superior a ela quanto à evolução intelectual e emocional, por força de um sentimento de inferioridade sexual derivada do fato de desejá-las mais do que se sente desejado. Talvez seja difícil para as mulheres entenderem esse processo psíquico masculino, mas o simples fato de desejá-las já os faz inferiorizados; sim, porque eles querem se aproximar delas e dependerão do seu aval para que tal aconteça. Do ponto de vista dos homens, quem está com a faca e o queijo na mão são as mulheres. Isso da ótica exclusivamente sexual.

Freud já registrou essa necessidade masculina de se sentir superior à mulher para se sentir seguro sexualmente[19]. Alguns só conseguem desejar mulheres muito inferiores a eles. Outros precisam apenas se sentir à altura delas. Ao se apaixonar, tendem a idealizar as parceiras, supervalorizando-as. A auto-estima masculina é quase sempre um pouco distorcida para menos. Assim, mesmo em igualdade de condições, um homem vai se sentir inferiorizado e, em função disso, impedido sexualmente.

O compromisso do sexo com a individualidade também exerce um papel importante na inibição do desejo: quando as defesas psíquicas contra o encantamento amoroso estão fraquejando, a inibição da ereção dá sinais de que ainda há uma resistência interna à fusão romântica. Tal resistência é mais que justificada, pois indica a importância da individualidade e quanto ela está ameaçada. Assim, enquanto o homem faz "contas" para saber se está ou não à altura daquela mulher encantadora e decide se vai se deixar envolver pela fusão romântica, sua sexualidade permanece travada.

As mulheres costumam tentar explicar o que está acontecendo de outra forma, desconsiderando a hipóte-

19 FREUD, Sigmund. "Sobre a tendência universal à depreciação na esfera do amor". In: *Obras completas*. Rio de Janeiro: Imago, 1996.

se anterior, bastante elogiosa a elas, já que os homens sexualmente sadios só têm problemas com parceiras extremamente interessantes. Pensam seriamente na hipótese de não serem suficientemente atraentes e temem que o relacionamento termine por falta de predicados eróticos. Em virtude disso, por vezes tentam mostrar-se mais competentes e desinibidas desse ponto de vista, o que complica e atrapalha ainda mais a vida dos homens. Eles passam a sentir-se pressionados, cobrados. As inseguranças sexuais masculinas são enormes, e não convém subestimá-las. Não é preciso muito para que se sintam preocupados com o desempenho sexual, o que agrava e complica muito o problema. Ou seja, o que era essencialmente uma questão de saber se estava à altura daquela mulher e se estava disposto a arriscar sua individualidade pode vir a se transformar num "grilo", numa preocupação que subtrai a espontaneidade masculina mesmo depois de superadas as causas iniciais da disfunção erétil.

Afora a ansiedade relacionada com o medo de decepcionar fisicamente seus parceiros, as mulheres vivenciam a intimidade erótica no contexto da paixão de forma bem mais serena. Muitas, inclusive, sentem-se até mais seguras para se soltar nesse ambiente romântico porque têm certeza de que sua sensualidade não transbordará para além dos limites daquele relacionamento. **Um pavor comum em muitas mulheres é o de que, caso se soltem demais sexualmente, perderão o controle sobre si mesmas; esse medo desaparece quando o clima romântico é máximo.**

Os homens ainda padecem de mais uma dificuldade: o desejo visual depende da exterioridade da mulher. Em outras palavras, em decorrência da fusão romântica, a mulher amada é sentida como parte dele, condição que afrouxa o desejo[20]. Como se essas dificuldades não fossem suficientes, um bom número de homens aprendeu a vivenciar o sexo como fenômeno bastante comprometido com a agressividade — e não com o amor. Isso explica por que tantos homens necessitam que o momento erótico não seja romântico, e sim contenha algumas pitadas de "baixaria".

Em psicologia, há sempre um sem-número de exceções. Mas a regra é a de que a excitação sexual dos homens apaixonados se normalize à medida que sintam menos medo do fracasso, o que costuma estar relacionado com acreditarem que estão à altura da parceira. Quando a conclusão é a oposta, vão embora, já que aí não se recuperam da disfunção erétil — é claro que as mulheres não consideram essa hipótese a mais provável. O erotismo melhora ainda mais conforme o casal percebe que nem sempre os ingredientes românticos têm de estar presentes na hora do sexo; ao contrário, essa hora combina mais com palavras — e trajes — um tanto vulgares.

Essa subtração do romantismo no contexto erótico cria condições interessantes, posto que a mulher amada, por alguns minutos, volta a ser uma mulher "qualquer".

20 Platão dizia que "não se pode desejar aquilo que se possui".

Deixa de ser parte do homem, recupera sua integridade e transforma-se em uma fêmea da espécie (o que também pode ser bastante excitante para ela). Aí o erotismo pode ressurgir com toda a intensidade. Pode vir a se tornar até mesmo um tanto assustador, especialmente para as mulheres, pois eles se valem do período refratário para se acalmar.

De todo modo, estamos diante da plena expressão da sexualidade que se dá ao largo do contexto da fusão. O prazer erótico é individual e solitário, e não cabe continuarmos a sonhar com o ideal tradicional do prazer sempre simultâneo. **Na hora do gozo, cada um fecha os olhos e se deixa embalar totalmente pelas próprias sensações. Por instantes, o outro — e o resto do mundo — desaparece. Mergulha-se em uma onda de prazer e, quando terminam esses poucos segundos de êxtase total, aí sim reconhecemos de novo o parceiro romântico e o abraçamos com sofreguidão e enorme prazer.**

O que acontece depois do prazer erótico corresponde a um momento mágico. É um reencontro! É muito aconchegante continuar nos braços da pessoa amada, agora embalada com ternura. Sai o tesão e retorna a ternura. Os homens, relaxados graças ao período refratário, adormecem como crianças, serenos e confiantes — o que não acontece com as mulheres, que padecem com a falta desse mecanismo automático que "desliga" a excitação sexual. Talvez por não sentirem da mesma forma, relutam em perceber que isso é enorme prova de amor. Sim, porque, se os homens estivessem ao lado de alguém que lhes interessasse apenas sexualmente, continuariam a se sentir sozinhos e fariam de tudo para se livrar daquela situação o mais rapidamente possível.

Os meses — por vezes alguns anos — vão passando e o equilíbrio entre amor e individualidade vai se alterando: a fusão romântica perde força, enquanto a individualidade pede cada vez mais espaço. Isso se deve a inúmeras causas, mas talvez a mais importante seja que o próprio amor é o remédio para o "mal do amor". O relacionamento aconchegante e bem-sucedido funciona como uma "encubadeira" que complementa a tarefa uterina e materna. Assim, a sensação de incompletude que nos acompanha desde o início da vida se atenua. Precisamos de cada vez menos "colo" e sentimo-nos cada vez mais dispostos para as aventuras individuais.

Aos poucos, vamos percebendo melhor, e com surpresa renovada, as limitações do amor. A plenitude prometida tende a se transformar em monótona repetição de frases, gestos e ações. Estar junto da pessoa amada continua a ser maravilhoso, mas os assuntos relacionados com as delícias da felicidade sentimental tornam-se um tanto desinteressantes. Não são mais suficientes, como aconteceu um dia. **De repente, um dos dois verbaliza aquilo que ambos estão sentindo:**

necessita de mais espaço para sua individualidade, para seus projetos não compartilhados. Quer ter uma parte de sua vida que seja só sua! Trata-se de um grito de independência, uma declaração contrária ao amor. Indica que há certa decepção no projeto romântico. É o oposto de tudo que foi feito, dito e pensado ao longo dos anos. É curioso porque, apesar de ser uma sensação compartilhada, parece que pega o parceiro desprevenido.

Uma coisa é pensar. Outra é falar em alto e bom som. Outra ainda é ouvir! Registro que, a partir desse ponto da história do amor, minha experiência clínica torna-se cada vez mais escassa. A maioria das pessoas vive o amor entre opostos que poderia ser evolutivo, mas não costuma sê-lo: os mais generosos experimentam a paixão, e a maioria dessas histórias termina com a separação dos amantes. Entre os que se separam dos amados, a maioria se acomoda nas relações afetivas originais, enquanto alguns passam a viver sozinhos — uns ficam bem assim, e a maioria espera outra oportunidade sentimental. São poucos os que vivenciam a fusão romântica, e estes raramente procuram um especialista, pois vivem felizes por muitos anos. Os que se ressentem da precariedade da fusão são em número menor ainda, de modo que a amostragem só decresce. Não me resta outro recurso senão lançar mão da experiência pessoal e de relatos presentes em alguns filmes e livros de ficção (por exemplo, o filme *Elvira Madigan*[21] e o livro *Bela do senhor*[22]).

Tenho plena convicção de que a fusão romântica não pode ser vivida como um fim em si mesma. Não se pode continuar a pensar no amor como o remédio para todos os males, como a fórmula que nos leva de volta à serenidade perpétua do Paraíso. Temos de nos livrar da crença, presente e potente em nossa cultura, de que esse é o caminho que abre todas as portas da felicidade. Em virtude da aquisição da linguagem e dos avanços derivados de nossa inquietação intelectual, não somos movidos apenas pela sensação de incompletude. A incompletude atenua-se por meio da fusão romântica; porém, a inquietação intelectual continua. Se o ideal romântico implicar limitações à nossa atividade intelectual, a sensação principal será a de enorme tédio.

A inquietação intelectual é um fenômeno pessoal, mas provavelmente os parceiros sentimentais compartilharão muitos assuntos de interesse. Porém, sempre existirão alguns assuntos exclusivos. Temos nosso sistema de pensar que nos identifica, e não podemos abrir mão disso por tempo indeterminado. Daí o grito de in-

21 Filme sueco de 1967, dirigido por Bo Widerberg, que conta a história real de um tenente que abandona carreira, mulher e filhos para viver um grande amor com uma artista circense. Ao enfrentar diversas privações, o casal perde a esperança no futuro e vê a morte como única saída.
22 Escrito por Albert Cohen e considerado uma obra-prima da literatura, o livro, publicado originalmente em 1968, retrata o romance vivido de forma intensa pelo casal de protagonistas. Depois de quebrarem tabus e regras sociais, vão viver juntos e isolados, mas o que era paixão se transforma em decepção. A edição brasileira é de 1985 e foi publicada pela Nova Fronteira, do Rio de Janeiro.

dependência que aparece quando a sensação de incompletude se atenua pela força do próprio amor. Quem ouve o grito pode sentir-se, num primeiro momento, ofendido, traído. É como se tivesse sido abandonado. O que grita se surpreende com a reação do amado, já que a intenção era apenas a de afrouxar um pouco o laço amoroso que havia se tornado sufocante. **Tudo é surpreendente, pois quem poderia imaginar que a realização do sonho de todo mundo pudesse desembocar na insatisfação, provocando uma dramática reação por parte da individualidade?**

Apesar de reagir de forma drástica, como se tivesse sido profundamente ofendido por essa atitude contrária ao amor, penso que o amado aproveita a oportunidade para tomar atitudes ainda mais individualistas. É como se estivesse aguardando ansioso a chance de resgatar a si mesmo, uma vez que também estava cansado de ser uma metade do andrógino original descrito em "O banquete", de Platão.

São movimentos surpreendentes e indicam claramente a vitória da individualidade sobre o amor romântico — este advindo da fusão de duas metades. O resultado é inesperado, já que aprendemos que o amor era a fonte suprema da felicidade e do bem. Esse paradigma parece derivar de um ponto de vista regressivo: passamos a maior parte da vida adulta tentando recuperar algo que perdemos com o nascimento — e que se agravou ainda mais com o afastamento progressivo de nossa mãe. **É como se nossa história individual e social fosse a dos que não se conformaram com o nascimen-**

to, com a expulsão do Paraíso, com o fato de a vida ser como ela é. Parece que buscamos apenas remédios alternativos para essa dor, em vez de irmos atrás da construção de nossa história – que, desse ponto de vista, nem sequer começou.

Nós, os adultos, somos idênticos às crianças que querem ficar quase o tempo todo no colo quente da mãe, agora substituída pelo amado. Isso parece o máximo e essa cena, um tanto patética, corresponde ao nosso maior anseio! Esse é nosso grande ideal de vida e esquecemos de levar em conta que as próprias crianças, depois dos 2 anos de idade, já acham um tanto tedioso o puro aconchego, saem do colo e partem para a vida (o colo é a antivida). Só voltam quando se sentem ameaçadas. Temos um cérebro muito ativo e dotado, gerador de inquietações que não nos permitem viver esse sonho paradisíaco. (Talvez ele combine melhor com o cérebro dos cães, para quem cochilar ao lado do dono amado parece ser a máxima realização — ao menos quando não estão perturbados por seus processos instintivos.)

Por mais paradoxal que pareça, a história do amor com final realmente feliz implica a morte do amor! Não a morte dos que se amam, como acontece na literatura, e sim a morte dessa forma infantil e imatura de tentar resolver a questão do desamparo, resíduo da simbiose perdida. O final feliz envolve a aceitação de que essa perda é mesmo definitiva e que não nos adianta ir atrás de soluções alternativas aparentemente engenhosas — como a do amor romântico.

A maior parte das pessoas não tem coragem de realizar esse mergulho regressivo quase irresponsável. Elas têm seus motivos! Porém, não é pelas verdadeiras razões que deixam de fazê-lo, e sim pelo medo, de modo que permanecem sonhando com o que não fizeram. Assim, é essencial que algumas tenham tido a coragem de se aventurar. **Voltam com ótimas notícias. Não nos ensinam que o amor é uma vivência maravilhosa e definitiva. Voltam com a grande nova, com um novo paradigma: é essencial abandonar esse sonho patético e buscarmos soluções evolutivas, compatíveis com nossa condição de adultos.**

34 trinta e quatro

O fim do amor como o vivenciamos é notícia das mais auspiciosas. Sim, porque em nome dele muitas lágrimas têm sido derramadas, muitas brigas continuam a acontecer, além dos casos mais radicais de homicídios e suicídios. Isso sem falar no sofrimento dos que padecem da dor de não ter alguém a quem amar. Os bem-sucedidos no amor sempre foram em número muito pequeno. E é desses que vem a notícia de que a fusão ofende de tal modo a individualidade que não cabe continuar sonhando e pleiteando para si algo que não funciona tão bem.

A verdade é que os avanços tecnológicos atiçaram ainda mais nossa individualidade. Aparelhos de MP3, computadores, DVDs, jogos para as crianças, tudo isso tem nos permitido, desde cedo, bom entretenimento solitário. Aprendemos cada vez mais a ficar sozinhos, a nos divertir com as máquinas, e poucos de nós estão dispostos a grandes concessões em favor do amor tradicional, exigente e cheio de pressões que nos afastam de nossas vontades.

Essas foram as razões socioculturais que nos permitiram compreender os aspectos opressivos ligados ao amor e que têm nos ajudado a evoluir emocionalmente. Estamos cada vez mais competentes para viver sozinhos, e esse reforço na direção do individualismo foi o que nos levou a observar o fenômeno com outros olhos. Não tem mais cabimento pensar nas pessoas sem um parceiro sentimental como infelizes e solitárias. Muita gente vive assim por opção. Prefere enfrentar e aprender a lidar com a sensação de incompletude — sempre muito menor quando estamos entretidos — do que conviver com as concessões típicas do amor exigente e possessivo.

Ao enfrentar, de forma regular e sistemática, a dor do desamparo que se manifesta principalmente nas horas de repouso, aprendem que ela não é tão desesperadora assim. Conseguir lidar com a sensação de incompletude corresponde a um avanço psicológico extraordinário. Abre portas interessantíssimas para a construção de um estilo de vida original no qual não valem as normas — e muito menos os juízos de valor — tradicionais. **Se formos capazes de avaliar a condição do outro sem usar nossas opções como referência, perceberemos que o caminho da solidão pode ser rico, prazeroso e libertário. Pode apenas corresponder a uma fase da vida adulta ou pode durar para sempre. Pode se alternar com épocas em que surgem envolvimentos afetivos interessantes – que sempre serão menos opressivos.** A verdade é que quem experimentou a liberdade dificilmente abrirá mão dela, a não ser em caráter provisório (como acontece na paixão).

No caso das relações afetivas mais intensas, em que as afinidades relacionadas com valores morais, estilos de vida, gostos e interesses intelectuais são relevan-

tes, a reviravolta individualista não costuma afetar a amizade presente entre os que participavam da fusão romântica. É provável que surja uma mágoa passageira, derivada das palavras "separatistas" que foram ouvidas pelo que supostamente ainda estava contente com a situação anterior. Reafirmo que é recíproco o anseio de liberdade individual característico do fim da fase "obscura" da fusão, uma vez que ambos evoluem emocionalmente de forma parecida. Ficam "curados" de sua imaturidade mais ou menos ao mesmo tempo. **O que acaba acontecendo é um aprimoramento, um estreitamento ainda maior da amizade. Sim, porque foram parceiros de uma aventura incomum, sobreviventes privilegiados de um mergulho arriscadíssimo nas profundezas da alma.** As histórias compartilhadas são riquíssimas, e a amizade só ganha com isso. Além das vivências amorosas, o usual é que tenham construído projetos de vida em comum. Têm, pois, motivos de sobra para continuar vivendo juntos. **Crescem as vivências individuais, mas sobra um "nós" bastante importante, suficientemente forte para determinar que o futuro continue sendo projetado a dois.**

Pessoas individuadas podem jogar o "jogo da vida" individualmente ou em dupla. A dupla agora corresponderá à aproximação de dois indivíduos, e não mais à fusão dos dois "em uma só carne" e em uma só existência. Sempre haverá uma região importante de intersecção — um "nós" — e uma área do "eu" de cada um. Quando querem e convém, estão juntos. **Quando é o**

caso, cada um caminha por sua rota. Esse tipo de aliança, definido por amizade (afinidades de caráter e de pensamentos), respeito pela individualidade (e pelas inevitáveis diferenças em relação ao parceiro) e presença de projetos em comum corresponde a algo muito mais sofisticado do que o amor tradicional — que se funda na idéia de que o amor une e dá sentido à vida das pessoas.

O amor é apenas um remédio paliativo para a dor do desamparo e não dá sentido a nada. Como alivia um sofrimento, corresponde a um prazer negativo. **Amizade e projetos individuais definem prazeres positivos que, associados a uma vida erótica gratificante – que é também um prazer positivo –, correspondem a um novo tipo de aliança entre as pessoas. Insisto em afirmar que estamos diante de um grande avanço, de modo que não há nada a lamentar com o fim do amor – e dos enormes sofrimentos que sempre o acompanharam. Os que cresceram emocionalmente na direção da individualidade estão em condições de viver algo que é mais do que amor. É, como tenho chamado, +amor.**

35 trinta e cinco

Mesmo quando estamos vivendo o +amor, os resíduos da dependência emocional típica do amor reaparecem devido à intimidade do convívio e aos inevitáveis momentos de fraqueza. Pessoas adultas e conscientes reconhecem nisso uma tendência regressiva que nos persegue ao longo de toda a vida, tendência essa da qual temos de nos defender sempre. **Em momentos de doença física ou em decorrência de algum abalo emocional (é claro que as pessoas maduras não se transformam em super-heróis!), ficamos mais suscetíveis a regressões, a dar marcha à ré temporariamente, como se tivéssemos perdido uma parte dos avanços. Não devemos nos atormentar com esses retrocessos, posto que são inevitáveis. Além do mais, recuperamos as posições conquistadas logo que as forças se normalizam.**

A diferença mais marcante está na postura diante da dependência: no amor, ela é louvada e tratada como uma benção; o mesmo acontece com um dos seus subprodutos mais terríveis, o ciúme, tido como prova da intensidade e sinceridade do sentimento. Naqueles que atingiram o +amor, o resíduo da dependência emocional é tratado como "cicatriz" inevitável, como resíduo de algo que um dia foi essencial e nos nutriu. A ênfase e a prioridade estão direcionadas para a individualidade, o respeito ao modo de ser e de pensar de cada um, as afinidades intelectuais essenciais para a realização de projetos em comum e o convívio agradável nos momentos em que essa é a vontade natural de ambos.

No amor, por força da dependência, os parceiros têm de caminhar juntos o tempo todo. Nas relações entre pessoas muito diferentes, isso implica obrigatoriamente a hegemonia de um sobre o outro e as concessões que o "mais fraco" faz. Este último é, em realidade, o mais forte, e não cabe aqui repetir a trama complexa e difícil de ser resolvida que se estabelece nesses casais. As tensões e brigas são constantes; as lágrimas, derramadas com regularidade. O amor é, pois, antes de tudo, fonte de sofrimento e dor.

Mesmo nos casos, bem mais raros, em que a fusão se estabelece entre pessoas afins — depois de uma história de paixão com final feliz —, em que o fato de caminharem juntas acontece quase espontaneamente, surgem preocupações inesperadas e bastante angustiantes. A maior delas consiste no pavor de decepcionar o amado. Como o amor deriva da admiração, se houver decepção haverá diminuição da admiração, o que pode pôr em dúvida a continuidade do amor. Ou seja, os que vivem um relacionamento assim intenso sentem-se muito ameaçados, tendo de se comportar de acordo com a expectativa do amado para continuar a fazer jus às benesses do seu amor. Está criada uma segunda ameaça, como se não bastasse aquela relacionada com o medo da felicidade!

Esse clima exigente é incrivelmente cansativo. As brigas próprias dos casais constituídos por força de suas diferenças agora dão lugar a uma brutal cobrança íntima. Difícil saber qual condição é pior. O estado de alma é o da ameaça permanente, o de que é possível perder o amado da forma mais terrível, qual seja, a de não ser mais objeto do seu amor. A sensação é a de estar sendo avaliado o tempo todo, como se precisasse passar por um exame de suficiência a cada novo dia, como se a avaliação de ontem não valesse para hoje — daí a necessidade de repetir a todo instante palavras como "eu te amo" e juras de amor eterno.

As relações amorosas de boa qualidade, que se caracterizam pela reciprocidade dos sentimentos e por maiores afinidades, são as mais difíceis de ser vivenciadas com tranqüilidade justamente em decorrência da seriedade com que são tratados todos os temas relativos ao caráter e ao modo de ser de cada um. Nas relações entre opostos, há um clima de tolerância, ao menos da parte do generoso em relação ao egoísta; este último é mais exigente, porém está focado nos aspectos práticos da vida em comum. Não costumam existir as exigências de natureza intelectual e muito menos as que se baseiam no rigor moral.

Não espanta que o amor bilateral seja, pois, altamente evolutivo. As cobranças são tão intensas que não resta outra saída senão a superação das limitações de cada um no intuito de não decepcionar o amado. São marcan-

tes os avanços pessoais, tanto no plano intelectual quanto no emocional e no moral. O que acontece? O ressurgimento da individualidade de cada um! A avaliação positiva que chega ao amante, vinda justamente do amado (o ser humano que mais conta), reforça e reafirma a autoestima. O esforço traz como recompensa a diminuição progressiva do medo de decepcionar. Chega o dia da graduação: a aprovação é definitiva e incondicional.

A partir daí, cada um dos laureados vai em busca do resgate de sua individualidade com muito menos medo de que isso implique a perda do parceiro. O fenômeno é recíproco, de modo que, aos trancos e barrancos, depois de vários titubeios, acaba se rompendo o elo simbiótico da dependência. Vai ficando claro que os outros ingredientes — amizade, erotismo compartilhado, perseguição dos projetos em comum — são mais que suficientes para manter viva a relação. Ela não só sobrevive ao esfacelamento da fusão como ganha uma riqueza e uma alegria que estavam soterradas pelo estilo de vida próprio dos que se amam e "se bastam"! Chegamos ao território do +amor.

(Gostaria de registrar o seguinte aspecto que me parece intrigante: a célula inicial da nossa existência deriva da fusão de um óvulo e um espermatozóide, ambos incompletos; essas "metades" unem-se para formar o ovo e gerar uma nova vida. É como se na vida adulta refizéssemos esse mesmo caminho: sentimo-nos incompletos sem que o sejamos, fundimo-nos a outro humano por meio de uma aliança que aprendemos a chamar de amor. A recíproca exigência ganha uma velocidade tal que nos leva na direção oposta, de modo que conseguimos completar o processo de individuação. O companheiro dessa viagem da qual resultam, finalmente, dois indivíduos inteiros é o objeto do nosso +amor.)

O clima do +amor é de liberdade e respeito. Desaparece a necessidade de provar qualquer coisa ao parceiro, e isso se estende, ao menos parcialmente, às outras pessoas. Os benefícios à individualidade são muito relevantes. As diferenças no modo de ser e pensar de cada um, sempre inevitáveis, não aparecem mais como ameaçadoras: não serão motivo de decepção nem implicarão afastamentos ameaçadores à estabilidade da relação, agora sentida como suficientemente sólida para permitir longos vôos "solo".

As concessões são mínimas, e a forma como cada um vive será semelhante à que seria escolhida caso vivesse sozinho. No +amor, a vida cotidiana é muito parecida com a dos que decidem viver sós. Para os que gostam de ter um parceiro fixo para fins sexuais e também para o convívio nas horas de lazer só existem vantagens! Aqui reina a confiança, já que as pessoas mais bem individuadas são também as intelectualmente honestas, leais e sinceras. Não há lugar para traições de espécie alguma, para ações que descumpram aquilo que foi acordado entre ambos.

trinta e seis

Acho importante registrar uma possibilidade que, mesmo sendo incomum, sempre pode vir a acontecer. Os casais que vivem um relacionamento entre opostos e, ao se familiarizarem com o modo de pensar sobre a questão sentimental que estou defendendo neste livro, conscientizem-se da necessidade de reavaliar a natureza do relacionamento que construíram poderão se empenhar nessa direção. Desde que o sentimento que os uniu — ainda que mais intenso por parte do generoso — esteja vivo, sempre é tempo de rever o rumo que deram à sua vida. O desgaste costuma ser menor ao longo dos primeiros anos de convívio e também naqueles casos em que a distância do ponto de equilíbrio é menos dramática.

Já apontei que tanto no egoísmo como na generosidade existem graus, de modo que quase todos nós, pertencentes a um dos dois grupos, não estamos incluídos nos casos extremos. Não somos criaturas anti-sociais, nem mártires ou santos. A regra é que nos unamos sentimentalmente a criaturas que se desviam tanto quanto nós do ponto de equilíbrio, cada um numa direção. O desejo de evolução na direção da justiça pode estar presente em ambos, já que tanto a generosidade como o egoísmo correspondem a alguma imaturidade moral e provocam insatisfações íntimas.

É preciso que exista efetiva disposição bilateral. É preciso que os parceiros consigam alterar o relacionamento. **Este terá de se basear na sinceridade: todas as insatisfações devem ser colocadas de forma objetiva e sem medo de magoar (no caso do generoso) ou de perder privilégios (no caso do egoísta). É necessário que ambos se disponham a fazer sincera e profunda autocrítica, o que sempre implica sofrimento.** É preciso desfazer a tese de que existe um vilão e uma vítima, de modo que ambos assumam sua cota de responsabilidade pela constituição de um elo fundado em tantas tramas sutis e desgastantes.

O mais importante é o desejo sincero de mudança. É preciso que os parceiros se comprometam a tentar, juntos, percorrer o caminho em direção à individualidade e à constituição de um elo respeitador do modo de ser de cada um. Não é fácil, mas é possível que esses casais, constituídos por oposição em decorrência dos medos relacionados ao amor, consigam avançar na direção do +amor. Pode ser que percebam que, em muitos aspectos, trata-se de uma condição mais fácil de ser vivenciada do que a da fusão romântica, exigente e, por vezes, sufocante. **O +amor, por respeitar a individualidade, pode ser vivenciado como menos ameaçador, principalmente para os mais egoístas, que tanto temem a fusão.**

Reafirmo que considero a honestidade intelectual, a lealdade e o desejo de constituir um elo de profunda amizade os requisitos fundamentais para que essa tarefa dificílima tenha início. Penso também que, talvez num futuro não muito distante, os jovens venham a se empenhar mais intensamente na constituição de sua individualidade antes de se comprometer sentimentalmente. Talvez isso crie condições favoráveis para encurtar bastante a longa trajetória relacionada com a superação do amor e de seu caráter regressivo.

Do meu ponto de vista, não existem obstáculos intransponíveis. Podemos nos empenhar na direção da evolução em qualquer idade e em quaisquer circunstâncias. As dificuldades são quase sempre muito grandes para todos nós. Porém, não vejo tarefa mais importante do que tentarmos, a cada dia, nos tornar criaturas cada vez mais justas e mais aptas para uma vida feliz.

37 trinta e sete

Não tenho dúvidas de que o +amor tem compromissos bem mais consistentes com nossa felicidade do que qualquer manifestação do amor, seja ele em fantasia, seja unilateral ou bilateral simbiótico. A dependência implica concessões; e estas, aborrecimentos. Quando penso na felicidade, levo sempre em conta a presença de uma cota inevitável de sofrimento e de limitações à liberdade — que temos de ultrapassar o mais rapidamente possível. Penso naquelas limitações efetivas, relacionadas com compromissos que assumimos por necessidade ou voluntariamente; e não nas que não são obrigatórias, motivo de frustrações e dores desnecessárias.

É essencial separar as atividades desagradáveis em dois tipos: as obrigatórias (tais como ir ao enterro de alguém relevante, visitar doentes, comparecer a certos eventos familiares etc.) e as facultativas (como assistir a uma ópera, encontrar conhecidos pouco interessantes, fazer viagens que não nos interessam etc.). Não devemos nos furtar às obrigatórias, parte dos rituais de civilidade próprios da cultura na qual nos inserimos. Quanto às facultativas, minha forma de pensar é bastante diferente. Sim, porque fazer a vontade do amado implica aborrecer a si mesmo; ou seja, alguém sempre sairá incomodado, de modo que se trata de uma péssima solução. Além do mais, ao conceder para além de nossa cota sempre acabamos criando uma briga por meio da qual nos vingamos da pressão que estamos sofrendo. Ninguém é tão bonzinho assim.

A possessividade e o ciúme próprios da dependência amorosa são fonte inexorável de sofrimento, torturas recíprocas e limitações indevidas aos direitos de ir e vir de cada um. Não são compatíveis com a felicidade e não evoluem com o passar dos anos. Enquanto houver dependência existirá a necessidade de controlar aquele de quem se depende. Só conseguiremos eliminar o ciúme e a possessividade eliminando o amor — objetivo explícito deste livro, que persegue os ideais de felicidade, evolução emocional e liberdade. Eles só são compatíveis com o pleno exercício da individualidade.

Amizade é prazer positivo, fonte permanente e renovável de alegria, bem-estar e felicidade. O mesmo vale para o erotismo (quando praticado como fonte de prazer, e não como parte dos jogos de poder, sedução e dominação), para os prazeres intelectuais e para o pleno exercício da liberdade individual. A qualidade de vida das pessoas chamadas pejorativamente de solitárias (será por inveja?) e daquelas que vivem o +amor é compatível com o estado de serenidade e com o maior número possível de momentos felizes que, juntos, caracterizam o que chamo de felicidade.

A felicidade depende, pois, de amadurecimento emocional e moral. Não emana de uma fórmula fácil, dessas que se encontram nos manuais que periodicamente infestam as prateleiras das livrarias. Não tenho — nem pretendo ter — o dom de enganar as pessoas, de modo que a mim cabe dizer o que penso: **a felicidade é possível, mas ela depende de grande esforço, crescimento individual, paciência e determinação.**

Talvez o número de pessoas felizes seja pequeno. Mas isso pode mudar, e esse estado vir a ser acessível a todos, ao menos se considerarmos que maturidade emocional (competência para ultrapassar frustrações), capacidade de viver só ou bem acompanhado, bem como o usufruto dos prazeres físicos e intelectuais, são seus principais ingredientes. Isso é completamente diferente de vincular a felicidade à riqueza material, à beleza extraordinária e à fama. O universo dos ricos, lindos e famosos é, por definição, limitado. Se considerarmos isso como o mais relevante, condenamos à infelicidade a esmagadora maioria dos humanos. Tais propriedades aristocráticas são muito valorizadas por nossa cultura. Isso é, a meu ver, parte de um enorme equívoco que precisa ser denunciado com total veemência.

Só tenho interesse nas possibilidades democráticas, as que um dia poderão ser parte da vida da maioria de nós. É nesse contexto que se insere minha visão

sobre o +amor. A morte do amor de fusão — e seus inevitáveis complementos — é parte do final feliz democrático que, sem iludir nem mentir sobre os possíveis tropeços e a longa extensão da caminhada, tem norteado toda minha produção intelectual.

trinta e oito

O caminho aqui descrito é parte do roteiro de um desbravador. Tem sido percorrido pelos que estão empenhados em entender melhor o fenômeno amoroso e não puderam se valer de ancestrais confiáveis. Assim como nos séculos que nos antecederam, o amor ainda aparece, para a maior parte das pessoas, como grande enigma, algo indecifrável. É fonte de sofrimento, considerado muito digno, prova de ter sido parte de um sentimento verdadeiro e sincero. Quem ama de verdade tem de sofrer a dor de uma eventual ruptura; tem de viver a incerteza de não ser correspondido; tem de tremer de ciúme diante da hipótese de vir a ser trocado.

Nunca concordei com tal ponto de vista. Sempre achei que se trata de uma emoção que merecia ser mais bem entendida e avaliada de todos os ângulos. Para mim, boa emoção é aquela que nos traz alegria, paz, estabilidade e confiança. Passei por várias fases ao longo desses quarenta anos em que estudo e procuro entender tudo que posso sobre o tema. **Hoje estou convencido de que o amor, da forma como o vivenciamos, é imaturo e regressivo. Portanto, posiciono-me contra aquela que é tratada como a mais bela e sublime das emoções.**

Entre amor e individualidade, opto pela segunda. Faço isso ciente de que ela implica a morte do amor romântico, a meus olhos o grande vilão da história. O final é feliz porque determina a supressão de uma gama enorme de sofrimentos inúteis e dilacerantes. Libertos do anseio de fusão – que entendo como algo que aponta para o passado, e não para a frente –, indivíduos podem seguir seu caminho na direção da autonomia e da liberdade. Livram-se definitivamente da obsessão de procurar alguém de quem depender ou que dependa deles. A dependência recíproca sempre foi buscada com o intuito de atenuar a sensação — inexorável — de desamparo. Quando está tudo bem, a sensação é de aconchego e paz; quando acontece alguma desavença, a sensação ruim outra vez toma conta da pessoa, e esta fará qualquer tipo de concessão com o objetivo de recuperar o elo — e, com ele, a paz temporária, pelo menos até a próxima divergência.

O aconchego talvez seja nossa primeira e mais grave dependência, um vício e um círculo vicioso absolutamente sem saída. Não vejo grande diferença entre a dependência amorosa e a que se estabelece com o cigarro, o álcool, a maconha e tantas outras drogas e situações. A comparação do amor com os vícios remonta aos anos 1970 e já foi apontada em um dos meus primeiros trabalhos. O amor não é nada de tão nobre ou sábio. Nada que mereça a louvação em verso e prosa que sempre teve.

Penso que a obstinação dos artistas, repetitiva e monótona, em descrever todos os detalhes das mesmas histórias sobre o amor significa que não conseguiram decifrar seus enigmas. Não considero isso sinal da importância do amor e sim que, nessa área, não estamos andando nada bem. **Nossa razão é assim: negligencia o que vai bem e se ocupa do que está encrencado. Um casal feliz no amor, com vida sexual regular e gratificante, pensará menos nesse tema do que os que têm problemas. A obsessão da nossa cultura pelo amor — e também pelo sexo — indica que esses assuntos continuam intrigantes e mal-resolvidos.**

Ao longo da segunda metade do século XX, muitos dos melhores espíritos apostaram no potencial revolucionário da libertação do sexo das amarras repressivas impostas pela cultura. Imaginaram que pessoas sexualmente livres e felizes com suas múltiplas experiências seriam mais solidárias, menos consumistas, mais voltadas para os ideais humanistas. Enganaram-se. A suposta emancipação sexual trouxe o acirramento da competição e estimulou o jogo da sedução em sua versão malévola: a rivalidade entre os sexos, a preocupação exacerbada com a aparência física e com a riqueza. Enfim, tudo piorou — e muito!

É preciso humildade para reconhecer que a idéia estava errada: a libertação sexual terá acontecido quando desaparecer a obsessão pelo tema, e não se ele for colocado em um pedestal. O mesmo vale para o amor, que disputa com o sexo a primazia de ser o assunto que mais ocupa a mente das pessoas. Teremos avançado na questão sentimental quando nos dedicarmos menos a ela, o que é impossível, uma vez que o amor é rico em sobressaltos repetitivos. A saída salvadora consiste em apontar o dedo contra a natureza do sentimento que chamamos de amor. Temos de parar de nos obstinar, de tentar fazer que uma manifestação assim infantil dê certo na vida adulta.

A vitória do individualismo é fenômeno similar à recuperação de qualquer tipo de vício. Sofremos muito no início diante da idéia de que temos de nos bastar e conseguir ficar bem sozinhos; mas, com o passar do tempo, lembramo-nos cada vez menos daquela droga — ou da dependência romântica. O desamparo atenua-se quando o confrontamos diretamente, sem lançar mão dos paliativos românticos — ou de qualquer droga. Os resíduos que sempre sobram mostram que não conseguimos nos livrar por completo de nossas vivências iniciais. (No livro *Cigarro: um adeus possível*[23] traço um paralelo bem definido entre o fenômeno amoroso e os vícios. Lá eu cito que o cigarro substitui a chupeta, primeiro vício da maioria das pessoas; e a chupeta, sabemos, entra no lugar da mãe!)

Quando conseguimos ficar livres da dependência afetiva, ganhamos muito em auto-estima. É conquista que nos orgulha por termos tido forças para enfrentar e superar um enorme obstáculo. Sofremos, é verdade; mas trata-se de uma dor evolutiva, construtiva, que nos conduz à liberdade. A dor de amor é repetitiva, inútil e improdutiva, pois não leva a lugar nenhum.

23 MG Editores, 2008.

Pessoas livres e com boa auto-estima, quando estabelecem vínculos, fazem-no em função das afinidades intelectuais. A evolução emocional e moral é requisito essencial e está presente em todos os que conseguiram se aproximar da condição de *justos* (superando o egoísmo e a generosidade que definem as relações afetivas entre opostos). Confiança recíproca e respeito pelo modo de ser de cada um determinam um elo mais consistente e construtivo. **Chamo o sentimento que une pessoas livres de +amor em respeito ao que a palavra "amor" tem significado para as pessoas.** O +amor é mais próximo da amizade do que do amor tradicional e é facultativo, já que as pessoas livres não têm problemas em ficar sozinhas.

Se as considerações que fiz ao longo deste livro contiverem uma boa dose de verdade, penso que elas poderão nos ajudar muito. **Uma ordem social que estimule o individualismo — e uma forma de educar adequada a isso — poderia ajudar a encurtar muito o caminho descrito aqui e hoje percorrido pelos que conseguem se tornar independentes. É preciso coragem para mudar o foco nessa direção, embora isso já venha acontecendo em decorrência dos avanços tecnológicos. Porém, hoje vivemos uma espécie de individualismo "monitorado": somos mais livres do que em qualquer outra época, mas radicalmente manipulados pela mídia e pela publicidade.**

Tal equilíbrio é precário, e penso que a manipulação pode perder força a qualquer momento. Pessoas independentes e com boa auto-estima podem se rebelar com mais facilidade e começar a pensar por conta própria. A resolução desse nó relacionado com a questão do amor é que cria as condições sonhadas pelos idealistas do século passado. Cria condições para que os homens de boa vontade, livres e justos pensem mais seriamente na construção de uma vida comunitária fundada nos ideais de liberdade e justiça.

Sociedades são aglomerados humanos. Só homens justos podem construir uma sociedade mais justa. Quanto ao futuro, penso muito nos artistas: no que pensarão, sobre o que escreverão quando não estiverem mais obstinados em decifrar os enigmas do amor e do sexo? Como serão seus quadros? Que músicas comporão? Talvez estejamos diante de um salto qualitativo que há tempos não víamos. Talvez passem por aí nossas chances de, como espécie, continuar a existir e avançar na direção do que ainda não conseguimos nem sequer vislumbrar. De todo modo, estaremos substituindo a obsessão pelo passado pelo desejo de conhecer o que está por vir.

leia também

O MAL, O BEM E MAIS ALÉM
Egoístas, generosos e justos
Flávio Gikovate

É uma nova visão sobre o tema que tem sido motivo de reflexão do autor há décadas. Gikovate constatou que a união entre homens e mulheres se dá entre opostos (uma pessoa egoísta se encanta com uma pessoa generosa e vice-versa). A atualização do assunto mostra que a saída está na evolução de cada ser humano para atingir o estado de harmonia, formando-se assim casais entre pessoas similares e mais justas. Dá início ao novo *layout* das obras de Gikovate.

REF. 50039 ISBN 978-85-7255-039-9

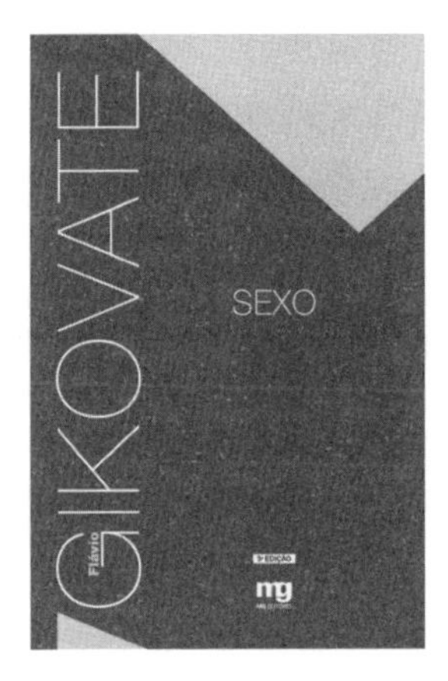

SEXO
Flávio Gikovate

Afirmando que sexo e amor são dois impulsos autônomos, Gikovate sublinha a associação entre sexualidade e agressividade. Também mostra que desejo e excitação são bem distintos: o primeiro é elitista, baseado na sociedade de consumo; a segunda constitui um prazer democrático. Assim, o autor propõe que reconsideremos a louvação atual do desejo, já que ele está a serviço da preservação do egoísmo e da imaturidade emocional.

REF. 50064 ISBN 978-85-7255-064-2

leia também

DÁ PARA SER FELIZ... APESAR DO MEDO

Flávio Gikovate

Gikovate retoma o tema da felicidade com novo vigor e sabedoria. É um livro claro e bem conduzido em que ele aponta os tipos de felicidade, suas armadilhas, as bases para as alegrias da vida que levam ao bem-estar. Sua originalidade é completada com uma análise sobre o grande vilão, o medo da felicidade.

REF. 50049 ISBN 978-85-7255-049-9

SEXUALIDADE SEM FRONTEIRAS

Flávio Gikovate

Nesta obra, Gikovate propõe um novo paradigma para a sexualidade. Ele afirma que o clima erótico de caráter lúdico deve permear a vida dos indivíduos e que devemos escolher e vivenciar os tipos de carícia – consentida – que mais nos agradem. Dessa forma, os rótulos se tornarão descabidos e desnecessários, e em vez de falarmos de hétero, homo, bissexualidade etc. falaremos em sexualidade – e sem fronteiras.

REF 50094 ISBN 978-85-7255-094-9

Grupo Summus
www.gruposummus.com.br
www.gruposummus.com.br
Acesse, conheça o nosso catálogo e cadastre-se para receber informações sobre os lançamentos.

IMPRESSO NA

sumago gráfica editorial ltda
rua itauna, 789 vila maria
02111-031 são paulo sp
tel e fax 11 **2955 5636**
sumago@sumago.com.br